Le Cheval
d'août

Les maisons

Fanny Britt

Roman

Pour Sam

Houses are cluttered with wishes,
the invisible furniture on which
we keep bruising our shins.

REBECCA SOLNIT, *The Encyclopedia of Trouble
and Spaciousness*

Hello darkness, my old friend
I've come to talk with you again

PAUL SIMON, *The Sound of Silence*

chez lui

Je ne sais pas encore que je suis chez lui. J'aurais peut-être dû le deviner. Y avait-il un indice dans cette assiette au fond de l'évier, le couteau posé sur l'assiette, le beurre et la confiture sur le couteau ? Les cheveux de Francis s'emmêlaient-ils sur le peigne dans la salle de bain ? Se rasait-il toujours au rasoir à lames, ses pantalons se déchiraient-ils encore aux genoux ?

Évelyne range le nécessaire à couture dans la penderie de la salle de lavage. Ça, j'ai vu. J'ouvre les portes d'armoires.

« C'est une formalité, j'espère que ça vous va », j'explique à Évelyne, qui n'est alors qu'une femme de mon âge, un peu plus jeune ou un peu plus vieille ; il arrive un moment où les gens deviennent une masse indistincte, nous croyons avoir l'âge de filles qui ont dix ans de moins ou cinq ans de plus, et nous disons *qui s'en soucie de toute manière*, en pensant *voilà un beau mensonge*.

Évelyne rit d'un petit rire traînant et triste, elle répond : « Bien sûr que oui, ouvrez toutes les portes, je n'ai rien à cacher. » C'est vrai. Sa salle de lavage est impeccable. Son nécessaire à couture me fascine, une trousse en laine bouillie gris éléphant, brodée de fil rouge au point de croix, une superbe petite chose scandinave, et je pense, *Évelyne est danoise*. Elle me dépasse d'une tête et ses cheveux blonds, droits et fous comme les blés, s'abattent en trombes sur son lainage noir.

Je le lui demande.

Elle le prend comme un compliment, bien sûr, et répond qu'elle vient de Shawinigan.

Je la félicite pour la maison. Ils n'auront pas de difficulté à la vendre. Elle dépose sa main devant ses yeux, je sais ce qui s'en vient, je fais ça à longueur de semaine. Deviner les drames ordinaires des clients, c'est devenu une seconde nature, et il nous arrive au bureau, dans nos jours les plus cyniques, de prendre des paris.

Le 31 des Groseilliers, c'est un divorce. Il l'a trompée. Elle préfère la banlieue.

Au 7678 Drolet, la dame a toujours pensé qu'elle s'offrirait une retraite dorée à Sutton, avec les profits de la vente. Son fils l'a poussée à réhypothéquer trois fois; ça, elle ne l'avait pas prévu.

Au 10821 Turnbull, il s'est fait dire qu'Ahuntsic, c'est vraiment pas aussi hot que Saint-Lambert.

Évelyne, du 794 boulevard Gouin Est, s'est réveillée un matin, et l'homme à côté d'elle pleurait à gros bouillons. Il a dit qu'il étouffait, qu'il devait partir, qu'il ne savait pas pourquoi, que ce n'était pas elle mais évidemment c'était elle, et puis les enfants étaient grands, suffisamment grands, à huit ans on est grand, ils s'en sortiraient et de toute façon il n'y avait rien à faire, il étouffait il mourait il devait partir.

La plupart du temps, on se trouve drôles, entre collègues. N'empêche, quand les yeux d'Évelyne se sont voilés, je lui ai tendu un mouchoir et je n'ai pas eu envie de le raconter aux autres, après.

— Là où je déménage, c'est plus petit. Un appartement. Mais c'est bien. Je pense pas pouvoir supporter trop d'espace.

— Non, et c'est pratique quand c'est petit. Moins de ménage à faire.

Niaiseuse. Elle ne te parle pas du ménage et tu le sais.

— Vous pensez qu'elle va se vendre?

Évelyne pleure tout à fait maintenant. Je lui prends la main. Je lui dis que oui, qu'elle est magnifique, sa maison. Je l'achèterais, moi, si je le pouvais. Elle fera le bonheur d'une famille parce qu'elle a fait le leur pendant plusieurs années.

Ma cliente hoche la tête, je sais que cette idée la réconforte – elle apaise tous les clients. Il y aurait une douceur dans l'idée que sa maison continue de vivre à l'extérieur de soi, comme une extension, une promesse renouvelée malgré les épreuves et les échecs, un sens tout à coup donné à la douleur. C'est là un mystère pour moi qui n'aurais certainement pas envie que d'autres fleurissent là où j'aurais fané – mais bon, je suis un être désagréable.

Évelyne me fait visiter le reste de la demeure: deux chambres d'enfant. Dans la première, une courtepointe à motifs délicats de boutons d'or et de pivoines, crème, rose, vert tendre. Plusieurs dessins énergiques sur les murs, tous signés «SOLÈИE». Dans l'autre, des rayures bleues et vertes, des figurines de dinosaures, des lettres en bois, peintes en rouge sur la porte: «MATTÉO». Évelyne a eu la finesse de garder les murs blancs. Ce sera moins difficile pour les visiteurs d'y projeter leur propre existence – rien de plus inefficace qu'une chambre rose recouverte de décalques de princesses pour le moral d'une mère de deux garçons qui regrette la fille qu'elle n'a pas eue, et qui espère trouver dans son nouveau logis la formule secrète lui garantissant enfin l'ultrafamille à laquelle elle aspire depuis l'enfance. À celle-là je lui réponds alors avec toute la sollicitude que j'arrive à déterrer en moi, *Cette maison vous portera peut-être chance*, puis quand la cliente, tordue par la culpabilité d'avoir diminué la valeur des enfants qu'elle a déjà, s'agrippe à mon bras, *Ils sont merveilleux mes garçons, je les aime beaucoup, de toute manière l'important, c'est la santé, non? Vous, en avez-vous des enfants?* et que je réponds, *Oui, trois garçons*, elle est partagée une seconde entre l'envie d'être moi et le soulagement de ne pas l'être. Ses lèvres corail esquissent le sourire le plus triste jamais souri et elle murmure: *Trois garçons. C'est quelque chose, hein.*

Je fais remarquer à Évelyne le lilas qu'on peut voir de la fenêtre du bureau, je lui répète que le printemps sera favorable à la vente, qu'ici, les couleurs de mai seront phénoménales. Elle gobe mon jargon d'agente immobilière, obéissante et légèrement ralentie, comme lorsqu'on a un peu trop bu la veille. Ou qu'on a beaucoup pleuré. Près de la fenêtre, sa peau, piquetée de quelques grains de beauté presque noirs, prend une teinte blanc laiteux. Je la trouve douloureusement belle, et je pense *il devait étouffer rare*. Qui renonce à une femme pareille? Je me garde de le dire à Évelyne, je ne veux pas que les larmes reviennent. J'ai promis aux garçons une lasagne, et il ne reste plus de farine pour la béchamel.

C'est dans leur chambre que je relève le plus de traces de la brisure. Le bois est blond et les draps sont blancs. L'idée m'obsède: *Elle est danoise, et il l'a quittée quand même*. Des pantoufles de feutre rouge sont rangées sous le lit. Malgré l'ordre évident dans lequel Évelyne aime vivre, il y a quelque chose de déguisé, ici, à la façon des scènes de crime soigneusement nettoyées des téléséries policières qui, lorsqu'on les éclaire à la *black light*, se révèlent constellées de taches de sang. Elle est comme ça, leur chambre: ensanglantée et impeccable.

Dans la pile de livres déposés sur la table de chevet, je distingue un magazine pour bricoleurs – c'est un numéro spécial sur la construction de cabanons. Une biographie de Bob Dylan. *Au-delà de cette limite votre ticket n'est plus valable*, de Romain Gary. Bien droite, la pile. Plus tard, je me souviendrai, *Mon Dieu, il est resté exactement tel qu'il était*, jusque dans sa fascination pour les hommes difficiles de grand talent.

De l'autre côté du lit, *le côté d'Évelyne*: un verre d'eau, un chargeur, plusieurs revues ouvertes, légèrement gondolées pour avoir été lues dans le bain, une petite bouteille de Tylenol, un bonhomme Playmobil et des mouchoirs bouchonnés.

Évelyne dort encore ici. Lui, non.

Les mouchoirs les Tylenol le bonhomme Playmobil, elle les fait disparaître en s'excusant, «je t'en prie ne t'excuse pas», et parce que je suis passée au tutoiement, Évelyne s'effondre dans mes bras en sanglotant. Je sens la petite main du Playmobil s'enfoncer dans mon épaule. *Cette lasagne se fera sans béchamel.*

— Tu vois jamais ce moment-là, quand tu penses à l'avenir. Tu vois des voyages sans destination, les fenêtres de l'auto grandes ouvertes, un plus qui apparaît sur le test de grossesse, des cabanes dans les arbres, des chicanes suivies de réconciliations, ton amoureux qui prend de l'âge sans vieillir. Tu vois tout ce qui est beau et sent bon et fait vibrer et fait bander. Tu vois pas... ça.

Évelyne parle doucement mais avec une espèce d'empressement, convaincue que les confidences ne feront qu'un temps et qu'une chose – la honte, peut-être, la poussera à se taire d'ici quelques minutes, alors elle devra reprendre sa charge sur son dos, alourdie jour après jour, comme une serviette qu'on laisse en boule sur la terrasse et qui absorbe la pluie.

Elle me fait dos, tasse le café dans le porte-filtre, fait mousser du lait, puis s'arrête sans se retourner.

— Je t'ai fait un café mais je préférerais boire du vin, prendrais-tu du vin?

Cette fébrilité dans la crise. Cette permission d'être surprenante. Je constate que je l'envie, malgré le reste.

— Vive le vin.

— T'es sûre?

— Je suis sûre.

— Parce que je veux pas boire toute seule.

— J'exige du vin et je refuse d'en boire seule.

Évelyne me sourit et sort du frigo une bouteille déjà ouverte. Sa main gauche s'enroule dans sa main droite, mais trop tard, j'ai vu qu'elle tremblait. Elle a bu hier soir, rien d'excessif, ça aide, elle n'aime pas les somnifères. Elle s'assoit, nous buvons, le réconfort existe. Le plâtre du plafond de la cuisine est craquelé, juste au-dessus de la porte qui donne sur la cour. Rien d'inquiétant. Il vaudrait tout de même mieux l'arranger.

— Quand on est arrivés ici, je me suis demandé: est-ce qu'un de nous va mourir dans cette maison.

Elle s'excuse de sa lourdeur et laisse échapper un rire nerveux. Je devrais répondre, *Ne t'en fais surtout pas, je me pose la même question tous les jours. Ma vie va-t-elle s'arrêter dans cette vieille voiture au plancher jonché d'emballages de bonbons et de cœurs de pommes oxydés? Est-ce que cet infâme stationnement d'Ikea sera mon dernier tableau?*

Mais les larmes d'Évelyne remontent, et je ne veux pas qu'elles coulent encore, qu'elle me pose des questions pour faire diversion, ni devoir y répondre. J'ai dit plus tôt que je l'enviais, mais je ne l'envie pas du tout.

— T'es pas lourde. Au contraire. On parle jamais assez du potentiel de mortalité qu'il y a dans une maison, en immobilier.

Évelyne est surprise.

— «Cette cuisinière double à six brûleurs est fantastique quand vient le temps de s'immoler.»

Elle rit, une mélodie fuyante. Je suis sur une lancée.

— «Ce patio en cèdre constitue l'endroit idéal pour provoquer une crise cardiaque.»

Elle sèche ses larmes.

— Il va te trouver drôle quand il va te rencontrer, mon ex.

— Toi, il te trouve drôle?

— Jadis, naguère et parallèlement, oui, j'imagine qu'il me trouvait drôle.

— Je suis désolée, Évelyne... Il est cinq heures et demie. Mes enfants vont appeler la DPJ.

Évelyne rayonne, à présent, de tristesse et d'apaisement. Nous faisons partie d'un club, le club de celles qui ne parlent pas d'amour comme dans les annonces de lait maternisé, mais qui, dans chaque phrase, dans chaque pli de paupière épuisée, parlent tout de même d'amour et de rien d'autre.

J'ignore donc que c'est de chez lui que je sors une heure plus tard, après une bouteille de vin blanc, un prix de vente fixé et une pancarte installée. Tout ce que je sais pour l'instant, c'est qu'il est parti et que la beauté d'Évelyne ne l'a pas sauvée du naufrage: elle aime et elle souffre. Tout ceci est formidablement ordinaire.

À la maison, on m'attend depuis longtemps. Oscar me saute au cou et s'inquiète de mon arrivée atrocement tardive. Boris me plante une construction Lego complexe sous le nez en m'énumérant en détail les étapes de sa création. De Philémon, je n'entends que la voix, un écho caverneux en provenance du bureau, où il absorbe de toutes ses taches de rousseur la lueur bleutée de son écran d'ordinateur. Ils sont là tous les trois, ils ont survécu à la journée, à la ville, au métro, à l'école, au jambon de leur sandwich, à la dictée de français, au smog, à la médiocrité de leur école. Personne ne vomit, personne ne pleure, et ça sent la sauce tomate; Jim a commencé à préparer le souper. Quand il me voit arriver dans la cuisine, il m'embrasse, goûte le vin sur ma bouche et rigole: «T'as encore soûlé tes clients.» Il m'informe que la réunion de parents de l'école a été reportée et que le champ est libre pour une soirée entière de nouveaux épisodes de cette série policière galloise que nous aimons bien. Ma tête est aimantée par son épaule, «je crois rêver», que je réponds et, même si au fond de mon cœur pourri d'aisance et de pulsions de mort je sais que je mens un peu – sinon comment expliquer le vertige, les jambes de coton et les tripes en charpie, ça peut être le vin, mais le vertige le coton la charpie, tout était déjà là ce matin, il faut bien admettre que cette vie est belle et douce, comme celle d'Évelyne avant qu'elle s'affaisse, un glissement de terrain, alors j'en reste là, j'en reste à *je crois rêver*, et Jim est content, il me tapote une fesse, et voilà Oscar qui m'appelle, et tout continue.

Le pont doit entrer dans le coffre arrière de la voiture. Il est constitué d'une centaine de bâtonnets de Popsicle assemblés avec de la colle blanche, et a été fabriqué par Philémon et deux de ses comparses de sixième année à l'occasion de leur projet final d'expo-sciences. Il est primordial que rien ne tombe sur le pont et qu'il soit livré à l'école sans anicroche. Ce que je ferai d'ici une heure, après un détour par la pharmacie pour trouver des alèses de plastique, car Oscar, à cinq ans, n'a pas réussi à passer une semaine complète sans mouiller son lit, un problème sur lequel ni Jim ni moi ne voulons insister, de crainte qu'il développe une névrose sociale incurable ou qu'il s'informe trop à ce sujet, ce qui le mènerait à découvrir que la plupart des psychopathes mouillent leur lit dans l'enfance et pourrait le porter à croire qu'il en est un, psychopathe, ce qui serait fâcheux, parce qu'il est seulement doté de la plus petite vessie de l'Amérique et de la plus grande soif-juste-avant-de-se-coucher. Il faudra penser à dissimuler les alèses au fond d'un sac sous la banquette arrière. Les autres mères du comité organisateur de l'expo-sciences ne doivent pas les apercevoir. Elles auraient alors le champ libre pour me rappeler – sans que je leur aie demandé quoi que ce soit – que leurs enfants ont tous été propres avant l'âge de deux ans, et qu'elles espèrent qu'Oscar n'a pas *un problème plus grave ?* Je serais alors forcée de leur sourire de toutes mes dents (plombées) et de mentir, *c'est vraiment occasionnel* (ça ne l'est pas), ou alors de tirer sur leurs chevelures striées d'un faux roux qui ne trompe personne, jusqu'à ce qu'elles ressemblent à ces poupées désolées auxquelles on a coupé la tignasse, la tête pleine de trous, à l'image de leur esprit. Je suis un être désagréable, mais je veux le bien de mes fils, alors je n'oublie pas de cacher les alèses. Il me faudra aussi passer chez Évelyne pour chercher un double de ses clés. Des visites s'annoncent déjà, et je me réjouis de penser que cette vente rapide pourrait me valoir un manteau neuf ou un sac de cuir – c'est bien le rôle de ce travail, faire de l'argent. Souvent, quand Jim rentre de travailler, il me demande ce que j'ai fait aujourd'hui, et je pense à ce que *faire* veut dire, et à ce que *faire* a voulu dire à une autre époque de ma vie, et tout ce qui monte jusqu'à ma bouche, c'est, *J'ai fait de l'argent*. La plupart du temps cette réponse me satisfait.

Je ne sais pas encore que je suis chez lui, mais pas pour longtemps, quelques minutes pendant lesquelles je descendrai de la voiture, recevrai un appel sur mon cellulaire. Ce sera Jim, il me rappellera que ce soir il arrive tard, qu'il joue au badminton avec son ami Marco, et je le verrai, comme chaque fois que Jim parle de son badminton, courir sur un parquet ciré en faisant crisser ses souliers de course, habillé en garçon d'école privée parmi une bande d'hommes aux âges divers vêtus de la même façon, pourquoi est-ce que je les imagine en uniforme de gymnastique (shorts bourgogne, t-shirts gris, écussons vaguement médiévaux), je l'ignore, mais c'est ainsi. Je raccrocherai après avoir confirmé que j'irais chercher le petit et que le pont est bien dans le coffre de ma voiture. Je marcherai vers la maison d'Évelyne, dans son allée d'ardoise concassée («superbe aménagement paysager au goût du jour»), et mon talon s'enfoncera dans la terre humide entre deux dalles, il fallait bien que je marche dans la boue. Ce n'est pas comme si le reste de moi suivait, comme si mes cheveux n'étaient pas chiffonnés en chignon désordonné, comme si l'élastique de mon soutien-gorge ne tenait plus qu'à un fil. En sonnant à la porte, je n'aurai pour autre pensée qu'un mépris douillet à mon égard et, au passage, pour l'ornementation florale de la sonnette en fer forgé, champêtre et générique, *il faudra suggérer à Évelyne de la changer, elle doit comprendre la valeur du* curb appeal, *cette sonnette est kétaine.* Et alors l'explosive disparité entre la déferlante de pensées de marde et le silence abyssal, séculaire, qui m'habitera lorsque la porte s'ouvrira et que je verrai Francis sera si merveilleusement tragique que j'en oublierai jusqu'à mon nom.

— J'avais pensé. J'avais pensé que ça pouvait être toi.

— À cause de la pancarte?

— T'aurais pu mettre une photo. Là, j'aurais été sûr.

— Je m'y refuse. C'est ma dernière coquetterie.

— Dit la fille en talons hauts.

— Tachés de bouette.

— J'ai quand même pensé que ça pouvait être toi.

— Pourtant j'ai un nom de famille tellement commun.

— T'échappes pas à ton prénom.

— Je le dis depuis toujours, mon prénom, c'est un leurre.

— Tu veux quelque chose à boire?

— Non merci. Pourquoi tu l'as laissé faire?

— Quoi?

— Pourquoi t'as laissé ta femme prendre une agente qui portait mon nom?

— Parce que ça me faisait plaisir.

— Ça te faisait plaisir!

— Je savais pas que c'était toi. Mais ça me fait plaisir de voir ton nom devant la maison. Ça me remplit de joie.

— Ça te «remplit de joie».

— Toi, t'y avais pas pensé?

— Non. J'ai entendu ton nom. Je veux dire ton prénom. Évelyne l'a dit plusieurs fois: «Francis a construit la bibliothèque, Francis connaît mieux la plomberie, Francis répond pas toujours à mes messages.»

— Mais t'as pas pensé?

La piqûre est là, chaque fois. Pendant des années, même dans un contexte totalement éloigné de lui, de nous, ce prénom a continué de me piquer. Francis le tenancier du resto. Francis le bébé de ma cousine. Francis l'ami de Boris en deuxième année. Francis Ford Coppola. Une aiguille. Sans plus. Ensuite, on continue. Alors non:

— J'ai pas pensé.

— Et là, t'es devant moi.

— Et là, je suis devant toi. Sur le seuil de ta maison.

— Ma maison que je vends.

— Ta maison que ta femme vend, oui.

— Évelyne avait un colloque à Toronto. Elle rentre demain.

— Je l'appellerai.

— Tu vas lui dire?

— Je vais lui dire quoi?

— Excuse-moi, il me semble que je devrais t'offrir quelque chose à boire.

— Tu m'as offert quelque chose à boire. J'ai dit non.

— On pourrait s'asseoir.

— Je pense que non.

— Parler, juste parler.

— Je pense que non.

— C'était quand, la dernière fois?

— Je sais pas, vers la fin du siècle.

— Tes belles formules.

— Le 30 novembre 1999.

— Tu sais, alors.

— J'attendais de voir si toi aussi.

— Je me souviens pas de la date précise, non.

— Ça m'étonne pas.

— Une agente d'immeuble.

— Ça, ça t'étonne.

— Oui. Je te voyais, je sais pas, dans une université écossaise en train d'enseigner le chant baroque, genre.

— Ça devait être beau à voir, alors.

— Mais toi, tu te voyais agente d'immeuble.

— J'ai pas dit ça.

— Alors quoi? Qu'est-ce qui t'est arrivé?

— T'as toujours été un brin snob.

— C'est vrai.

— Un ingénieur snob.

— Un ingénieur fatigué, pour le moment.

— J'étais venue chercher la clé.

— Oui. La clé.

— Je vais attendre de parler à Évelyne.

— Prends la clé.

— Je vais pas le lui cacher, par contre.

— ... Non?

— Non.

— Pourquoi?

— Parce qu'on brise pas davantage une brisée, à plus forte raison si on l'est soi-même. C'est une règle non écrite. *Solidarité pour les vies pétées.*

— Il va falloir nous trouver un autre agent.

— Peut-être bien.

— Ça va, tes affaires? Tu peux te permettre de perdre un client?

— Pas de souci, vieux con. J'ai trente-sept ans. J'ai trois enfants. Trois enfants. Je suis criblée de peau molle.

— Bah, moi j'ai toujours bandé mou, de toute manière.

— Quelle horreur, qu'est-ce que je viens de dire là, je suis désolée.

— Non, c'est moi.

— Francis, quelle horreur, cette conversation.

— Je sais. Une de nos meilleures.

— C'est pas drôle.

— Pardon. Je pensais pas à mal.

— T'as jamais pensé à mal.

— Tu dis ça comme si c'était un problème.

— Je suis pressée. J'ai un pont dans la voiture.

Ce qu'il y a, avec les mains de Jim, c'est qu'elles sont miraculeuses. Grandes et coussinées comme des pattes d'ours, les ongles rongés. Des pagaies. Les premiers temps, il m'arrivait souvent d'en trouver une au réveil, nichée sous ma hanche, où elle avait passé la nuit, une amarre de peau. Ses mains m'entourent et m'engloutissent, et avec elles toutes les moiteurs deviennent obéissantes.

Jim est ce que l'on appelle, quand on n'est pas rebuté par les clichés, un homme de peu de mots. Il trime et pousse et s'enfonce dans la vie, ses mains d'ours en guise d'armure. Le désir affolé qu'elles m'inspirent n'a jamais fané.

Ses mains se sont posées sur mon front suintant pendant mes accouchements. Elles tâtent et pétrissent mon cul plat d'Irlandaise. Elles soulèvent Oscar par les pieds et le traînent jusqu'au bain. Ces mains sentent le bois et la colle. À l'orchestre, elles tirent sur la coulisse du trombone, heureuses. Aux heures ordinaires, elles paient le parcomètre, tournent le volant, lacent une botte. Ces mains m'ont plongée dans l'amour et m'y maintiennent en bienheureuse noyée.

Ce soir, quand j'aurai ramené le petit et parti une brassée de lavage, je tenterai d'assommer à coups de réseaux sociaux le souvenir pulsant du visage de Francis. Puis, Jim rentrera à la maison. Je donnerai ma vie pour que sa main se pose sur ma nuque lorsqu'il me rejoindra dans la cuisine, je voudrai qu'elle s'imprime sur moi pour la millième fois et qu'elle fasse taire le bruit de mon sang, il s'est fait si mauvais depuis quelques heures. Mais nul besoin de donner ma vie. Jim n'est jamais avare.

Il rentre à la maison et ses mains obtempèrent, comme tous les autres jours. Quand même. Il m'apparaît que mourir de chagrin n'est pas exclu, pas exclu du tout.

Je suis responsable des gâteaux. Tous les ans depuis les six ans de Philémon, je prépare un assortiment de sucreries en vue de l'expo-sciences de l'école. L'an dernier, nous avons vendu six cents unités: gâteaux, biscuits, carrés de Rice Krispies, petits sacs de pop-corn au caramel et autres sucres à la crème. Il faut d'abord se joindre au comité organisateur et assister à plusieurs réunions, la plupart du temps tenues les mercredis soirs venteux et sombres de novembre, où personne ne trouve rien à dire sur un événement qui aura lieu des mois plus tard, mais certains parents y trouvent l'essentiel de leurs interactions sociales, alors j'y vais (une fois sur trois), parce que je ne veux pas perdre mon royaume. Philémon termine le primaire cette année, Boris suivra dans deux ans, Oscar dans six. Après, ce sera l'école secondaire et mes friandises seront refusées avec ostentation, surtout devant les amis, la vieille mère sera reléguée à sa chambre à coucher pendant que ses enfants frencheront à qui mieux mieux dans le sous-sol en se parlant en codes qu'eux seuls comprendront; ils se vautreront dans le mystère et les hormones de la jeunesse, bref, un jour, je ne serai plus jamais jeune et je redoute ce moment, alors je suis responsable des gâteaux et j'y prends un plaisir démesuré. À moi seule j'ai préparé six douzaines de biscuits Oréo maison. En montant la table de vente, je prends bien soin de les étaler en une rangée nette et droite, parmi les macarons de la mère de Danh Ly et les scones de la mère de Joséphine. Ma fierté de voir les amis de mes fils se ruer sur les desserts que j'ai préparés est aussi profonde qu'elle est risible.

— Je suis votre ombre.

La fille qui s'adresse à moi est tout sauf une ombre : seize ans, plus grande que la plupart des garçons de son âge, jeans jaune poussin et tuque crochetée, elle a la mine interdite d'une héroïne de bande dessinée. Devant elle, les bras chargés de cartons de jus de pomme, j'ai l'air d'un chien mouillé, et s'il faut choisir qui est dans l'ombre de qui, le choix tombe sous le sens.

— Pardon ?

— Ma mère m'a dit d'aller vous voir. Je suis censée vous donner un coup de main. Avec les gâteaux.

Elle se nomme. *Simone*. La fille de Karine, oui, elle me l'avait proposé, sa fille aînée viendrait m'aider. Simone enfonce ses mains dans les poches arrière de ses jeans et jette un coup d'œil à la ronde avec une certaine inquiétude plombée d'ennui. Je lui assure que j'ai souvent géré les gâteaux toute seule, et qu'elle a le droit de se sauver, si elle veut. Mais Simone secoue la tête. Je lui pointe la petite caisse, tout coûte un dollar, et si des chialeux trouvent ça cher, il faut leur rappeler que «la vente de gâteaux sert à financer les activités des élèves, comme la classe verte et l'achat d'ordinateurs, et qu'avec un cœur aussi noir ils feraient mieux de manger quelques biscuits, histoire de s'adoucir l'âme». Simone rit un peu, poliment. Puis nous nous y mettons, et rien n'existe que prendre des sous et tendre des gâteaux, le mouvement est bon, l'oubli est bon, et le visage gris, vieilli et orageux de Francis n'apparaît presque plus. Les dodus et les maigrichonnes, les grands-parents visiteurs et les professeurs gourmands; ils tendent la main et prennent, tendent la main et prennent. Bientôt, Simone ralentit, s'emmêle dans la monnaie, se trompe. «Non, je vous ai dit scone nature, pas aux fruits!» Simone s'excuse et replace sa tuque avec nervosité. Je me tourne vers elle, ses joues sont d'un rouge violent: «Ça va?» Elle secoue la tête, comme pour dire *N'en parlons pas, veux-tu, n'en parlons pas*. Puis elle révèle, si doucement qu'il faut que je sois penchée sur elle pour l'entendre: «J'ai vu quelqu'un.» Elle le cherche à nouveau des yeux pour voir s'il est loin, avec au cœur la crainte qu'il soit là et qu'il soit parti tout à la fois, et je lui dis: «Prends une pause, va boire de l'eau, Simone.» Elle détale sans remettre la monnaie à la famille de Mehdi alors je m'en occupe, et je la vois attraper une amie par la manche et s'engouffrer dans les toilettes du gym de cette école qui l'a vue grandir, où elle est sans doute tombée amoureuse de ce garçon qu'elle vient de croiser et qu'elle a aimé (en silence?) pendant toutes ces années, je crois l'identifier à son sourire crâneur et à sa désespérante banalité vestimentaire, puis elle revient quelques minutes plus tard, le visage plaqué, mais déterminée et vivante, et elle recommence à vendre avec une énergie renouvelée. Chacun ses fins du monde.

C'est lui qui téléphone, pas moi. Un numéro compliqué que je ne connais pas. *Un sondage.*

Je viens de refermer le coffre de la voiture, les boîtes de plastique dans lesquelles l'orgie de gâteaux a été transportée y sont empilées avec le pont, Philémon tient à le conserver en souvenir. Quand, l'an prochain, ses amis s'éparpilleront dans diverses écoles secondaires, au début, ils s'écriront tous les jours, s'enverront des vidéos, se prendront en photo les bras ouverts. Puis l'un d'entre eux cessera de répondre aux chaînes de courriels, un autre annoncera qu'il ne peut pas voir la bande cette fin de semaine là – il aura rendez-vous avec ses nouveaux amis, ceux du collège –, bientôt ils se mettront tous en orbite ailleurs, pour le meilleur et pour le pire, et les amitiés de l'enfance prendront la teinte délicate du souvenir jauni. Philémon, qui a le malheur d'avoir hérité de ma propension à la nostalgie, croit encore que le pont de sa dernière expo-sciences agira comme un ciment entre ces garçons tendres et bien nourris, qui suis-je pour l'en empêcher?

Le pont a repris sa place dans le coffre de la voiture, et Philémon et Boris, sur la banquette arrière, font le décompte des meilleurs moments de la journée (l'explosion du bécher de Nicolas lutte chaudement contre l'évasion du chat-cobaye de Léa pour la première position). Il est tard, nous sommes les derniers à quitter l'école. Il a fallu compter l'argent, démonter la table et tout remballer. Oscar a voulu rester lui aussi, impatient qu'il est de rejoindre ses frères au rang des écoliers. Mais la surdose de sucre a eu raison de ses ambitions, et Jim l'a ramené à la maison une heure avant la fin. À l'heure qu'il est, il doit dormir à poings fermés, et quelques-unes de ses mèches bouclées collent, humides, à son front de bagarreur. Donc, le téléphone sonne au moment où je referme le coffre de la voiture, après le spectre du sondage, le numéro inconnu m'inquiète davantage, *Jim est à l'hôpital avec le petit.* C'est vrai qu'il avait l'œil vitreux, au moment de son départ. J'ai mis ça sur le compte du sucre, mais c'est peut-être une encéphalite. S'il fallait perdre Oscar, comment survivre? Et comment Philémon et Boris, se sachant épargnés, réussiraient-ils à porter le poids immonde de leur propre chance?

— Je suis désolé de t'appeler tard.

La voix de Francis est lointaine, et la ligne grésille, comme s'il m'appelait de la Baie-James.

— T'as un drôle de numéro.

— Quoi?

— Ton numéro. De téléphone.

— Oh. Je t'appelle du bureau, c'est pour ça.

— Oh.

— Je te dérange.

— J'ai un pont dans l'auto.

— Encore?

— C'est le même. Il a bougé entre-temps.

Les mots sont superflus. Francis m'appelle. Il est là, l'événement. Les mots ne comptent pour rien, ils ne remplissent pas le vide, il n'y a pas de vide de toute manière, pas d'air, rien. Pure apesanteur. Je m'adosse à la voiture. Philémon me balaie du regard, mais reste indifférent. Dieu merci, il ne sera pas témoin de ma mine à la fois confite et déconfite.

— J'ai pas eu le temps de parler à ta femme. Ça a été occupé, ici.

— Pas grave.

— Toi? Tu lui as parlé?

Nous sommes bien en train de nous demander, tous les deux, s'il a parlé *de moi* à sa femme – combien d'années ai-je souhaité l'entendre parler de moi, de quelque manière que ce soit? Combien ce souhait m'apparaît-il ridicule maintenant qu'il se réalise. Tout ça me semble puéril et pitoyable, j'ai trente-sept ans et deux garçons dans l'auto, sans compter le troisième qui dort à la maison (*Il n'est pas à l'hôpital! Cet appel n'a rien à voir avec lui!*), maudite marde, n'ai-je pas droit à un semblant de dignité?

— Non. Je lui ai pas parlé de toi.

Francis n'a pas eu besoin que je précise de quoi il s'agissait, il a toujours été doué pour faire les questions et les réponses, *ne l'oublie pas, ne l'oublie pas, pauvre conne.*

— Écoute, mes garçons m'attendent.

— Oh. Désolé.

— Tu voulais me parler de quelque chose en particulier?

— Je voulais te.

Attendre. Pressentir avec effroi et exaltation qu'on en espère autant qu'au premier jour, que la fièvre ne se guérit pas, qu'on est une chandelle fondue, que le pouvoir a toujours été et sera toujours du côté des autres, que rien, ni le temps, ni les enfants, ni les briques qu'on a farouchement empilées n'ont d'effet sur le sombre désir de dire oui à cet homme absent depuis si longtemps. *Je voulais te* quoi?

— Je voulais te voir. Pas chez moi. Juste, te voir.

Combien d'années depuis son départ? Seize, bientôt dix-sept? Combien de temps passé à gémir que je voulais le voir, *juste le voir*? Cesse-t-on de vouloir ce que l'on a ardemment voulu à vingt ans?

— Oh.

— Je veux pas te forcer la main.

— Non.

— Prends le temps.

— Oui.

— Vendredi, disons à midi et demi, devant chez Lenny.

— Lenny?

— Tu t'en souviens?

— Franchement.

— OK, alors. Vendredi, midi et demi, devant chez Lenny.

— Francis.

— Oui.

— Je viendrai peut-être pas.

— Je sais.

Il faut raccrocher. Je remets le téléphone dans ma poche, je sors les clés de la voiture, ouvre la portière. Je m'assois et je démarre. Reste attentive aux voix de Philémon et de Boris qui se racontent leur journée pour la dixième fois et me demandent si je leur ai gardé des Oréo. Je signale, tourne à gauche, à droite, puis à gauche. Nous passons devant une propriété à vendre dont je m'occupe, et Boris le remarque. «Yo, maman, t'es rendue une agente rock star.» Je ris, et rire ne me semble pas difficile, parce que Boris est drôle et merveilleux, que Philémon est drôle et merveilleux. Nous arrivons, les garçons transportent le pont dans le vestibule sans l'échapper, et je les envoie se faire des toasts au miel avant de dormir. Je dois répéter les consignes habituelles, «les dents, le linge sale au panier, la lumière éteinte dans dix minutes». Je me montre normale avec Jim, je lui embrasse la tempe et me plains des parents du comité. Nous regardons les nouvelles de vingt-deux heures. Puis je m'éclipse en prétextant une odeur de sucre et de friture pour sauter sous la douche, mets le loquet. Le vacarme du jet sur la porcelaine de la baignoire devient comme une permission, et mon cœur a enfin le loisir de battre à tout rompre, et mes mains de trembler, et je me répète, une sonnette obstinée, *vendredi vendredi vendredi*.

Il faudra se souvenir que l'on a trente-sept ans, et trois enfants, et que tout ceci est ridicule.

1982

Longtemps il m'a semblé que ma mère brillait. Pas de la manière dont les princesses brillent, rien de diamanté ou de doré chez elle – Paule n'était que mèches de cheveux asymétriques et vieux t-shirts d'homme maigre. Sa lumière se lovait dans sa formidable désinvolture, une délinquance en habits de garçon. Elle était Joan Jett mais écoutait du Haendel.

À trente-deux ans, ma mère avait quitté son Abitibi avec deux enfants à sa remorque. Elle s'est attachée sauvagement à la ville. Paule avait et aurait toujours des épinettes noires à la place des os. Non, ce qu'elle quittait, c'était mon père et leur dix ans de vie commune, sa molle cruauté, l'amoncellement de promesses non tenues; c'était l'étroitesse des lieux, *un scandale*, dirait-elle souvent par la suite, cette paradoxale petitesse d'esprit quand le ciel abitibien paraissait plus grand que tout. De mon père, elle resterait séparée près de vingt ans avant de demander le divorce. L'Abitibi, elle n'y vivrait plus.

Il lui semblait, à Montréal, marcher parmi les siens. Il m'arrivait d'ailleurs souvent d'agripper des jambes étrangères dans les lieux publics, d'enrouler mes bras autour d'elles avec vigueur, pour ensuite me rendre compte que ce pantalon taché de peinture, cette paire de bottes de travailleurs, et ce parfum de Craven A et de bois de santal n'appartenaient pas à ma mère. Une autre femme de la ville était remplie du même mystère, belle malgré les doigts étranglés par les poignées des sacs d'épicerie trop chargés, accablée de la fatigue de celles qui n'ont pas le temps d'espérer mieux. Montréal, à notre arrivée en 1982, était peuplée de ma-mères.

Les matins, elle m'emmenait à la garderie à la hâte, le pas pressé, déjà agacée.

«Marche, Tessa. Arrête de tout regarder comme ça.»

Après, elle ralentissait puis elle finissait par s'arrêter. Ma main serrait un peu plus fort la branche, la ficelle, la roche, l'emballage de bonbon que je venais de ramasser sur le trottoir, et j'attendais la suite. «On va être en retard, on est déjà en retard, si je suis en retard au travail tu sais ce qui va se passer? Je pourrais perdre mon emploi et qui paierait l'épicerie, qui paierait le loyer, qui te mettrait des bottes dans les pieds?»

J'aurais voulu répondre, *Papa, il en a, des sous.* Mais son regard déjà sombre aurait noirci davantage, je pensais *elle déteste mon père.*

Je ne comprenais pas encore que ça n'avait rien à voir, que ce qui la tendait à se rompre, c'était l'effort contenu qu'elle mettait à ne pas me décevoir, à ne pas révéler l'inconstance financière de mon père; ce qui faisait trembler ses lèvres, c'était l'amour. *J'ai trente-deux ans je suis certainement pas vieille comment suis-je*

*devenue cette harpie qui gueule et demande à sa fille
d'arrêter de tout regarder alors que c'est précisément ce
qu'elle devrait faire à quatre ans et à tout âge, comment?*

Alors la plupart du temps, je ne disais rien, je lâchais
la branche la ficelle la roche l'emballage, je les regardais
tomber et je me demandais si les objets avaient mal
quand ils s'écrasaient au sol.

De l'Abitibi, il ne restait que des souvenirs furtifs, des images moites et vite enfuies. La voiture de mon père, dont la banquette en cuir brûlait les fesses après les baignades à la base de plein air; il fallait y poser notre serviette encore humide pour ne pas nous faire mal, et j'oubliais toujours de le faire, et je me faisais toujours mal. L'odeur de la lotion à la noix de coco pour apaiser ma peau à vif me paraissait ensuite d'un confort singulier. Cette brûlure évoquait toutes les heures passées à barboter dans l'eau cristalline du lac La Ferme, à faire tomber les grains de sable de nos maillots, à engloutir des hot dogs, à chercher des framboises sauvages dans les sous-bois où s'embrassaient des couples en cachette. Une fois, j'ai aperçu un sein de femme, puis un sexe d'homme. La friction mouillée de leur chair, ces peaux mélangées, ce poil, le mouvement saccadé de ce qu'ils faisaient et le râle de l'homme, j'y repensais le soir, au lit, le corps éveillé, rempli des appels pulsatiles d'un code morse que je ne reconnaîtrais que beaucoup plus tard comme le désir.

Lors de nos visites chez une arrière-grand-mère qui sentait l'eucalyptus et que ma mère adorait, nous arrêtions toujours à la crémerie de Sullivan, où mon cornet à l'orange me barbouillait les cheveux et me rendait nauséeuse. Paule se tenait dehors, le dos appuyé à la portière, une silhouette longiligne fumant sa cigarette tandis que nous léchions les gouttes qui coulaient sur nos pouces, nos paumes, nos poignets. Il nous en tombait toujours un peu sur les cuisses aussi, les miennes, dodues et pâlottes («Deux jambonneaux décolorés!» criait ma grand-mère paternelle quand elle les voyait, et si je ne comprenais pas les mots, il était clair que ce n'était pas un compliment), étaient vite essuyées avec l'ourlet de mon t-shirt, ni vu ni connu. Ma mère était rebutée par ma propension à m'enduire de sucre sous toutes ses formes et à toute heure du jour. «Qu'est-ce que j'ai pu faire au Bon Dieu pour avoir une fille aussi souillon!»

Paule ne croyait pas en Dieu, encore moins qu'il fût bon. Il suffirait de m'essuyer la bouche après avoir trempé ma tranche de pain dans le sirop d'érable quand personne ne regardait, d'effacer les traces de chocolat fondu sur mes doigts, de jeter à la poubelle le cellophane des caramels Kraft dérobés dans le panier d'Halloween de mon frère. Si elle ignorait ce que je mangeais et qu'elle n'avait plus au cœur l'image de sa fille en petite truie gourmande, Tessa-la-souillon n'existerait plus, n'est-ce pas?

Un soir, elle nous avait emmenés chez des amis, elle a dû cesser de les voir ensuite, parce que de leur grande maison peuplée de livres, de tapis turcs et d'affiches d'expositions ayant eu lieu dans de lointains musées, je n'ai gardé qu'un seul souvenir, celui de cette fête d'été, où ils avaient sorti toutes les tables dans la cour verdoyante (je pense à Notre-Dame-de-Grâce, c'était peut-être Ahuntsic) pour faire une longue tablée nappée de papier journal, car tous allaient se vautrer dans les pinces de homard et le beurre fondu. On avait installé deux réchauds sur la galerie grise, écaillée par endroits, et d'énormes marmites d'aluminium y accueillaient les homards frétillants, sous les cris de joie des garçons, plus vieux que moi et qui m'intimidaient autant qu'ils m'attiraient. Mon frère, lui, se contentait de sourire poliment, bouche fermée, pour dissimuler son trouble devant la mort des petites bêtes. Plus tard, il les mangerait avec autant d'appétit que les autres, mais je savais que le passage du monde des vivants au monde des morts l'atteignait, qu'il s'agisse d'un insecte, d'un poulet barbecue ou d'un sapin de Noël. N'étaient-elles pas tristes, toutes ces choses, de perdre la vie?

Après le souper, les adultes se sont attardés à table, remplis de vin et d'histoires répétées cent fois.

— Elle avait pas de bobettes! Elle s'est pointée devant son directeur de thèse avec une mini-jupe pas de bobettes!

— Ben quoi, il y avait juste moi qui le savais! Je voulais être investie du pouvoir de ma mystique féminine!

— Tu comprends rien à Betty Friedan, ma grande.

— Je la comprends sûrement plus que toi, mon pitou...

— Heille Marc, savais-tu ça que Suzanne a soutenu sa thèse sans ses bobettes?

Et c'était reparti pour un tour. Paule, parmi eux, riait aussi. Quand je passais près d'elle, en quête de pissenlits que je cueillais avec la fille des hôtes (comment s'appelait-elle, elle avait une si jolie chambre, tapissée de fleurs des champs, et un pupitre en rotin blanc, comme dans mes rêves), ma mère m'agrippait parfois par le bras et m'attirait à elle pour me couvrir de baisers, une de ses rares effusions, que j'accueillais avec maladresse et dont je m'ennuyais dès qu'elles étaient passées. À l'intérieur, les garçons avaient étalé des bandes dessinées sur le plancher et s'étaient plongés dans leurs lectures de Gaulois et de pirates.

La fille au rotin blanc m'a entraînée dans la chambre de ses parents, ils avaient le plus grand lit que j'avais jamais vu de toute ma vie. «C'est un king», m'a-t-elle révélé avec un air de s'y connaître. J'ai hoché la tête sans rien ajouter, *surtout ne pas trahir mon ignorance.* Puis elle a tiré de sous leur lit une pile de livres qu'elle a déposée, l'œil fiévreux, sur la courtepointe. Elle a tourné les pages d'une bande dessinée, celle-là destinée aux adultes, ça se voyait tout de suite dans les images de femmes aux gros seins et d'hommes qui buvaient de la bière au goulot. La fille a posé son doigt potelé (*Quelle jolie bague sertie d'un saphir! Si je la lui prenais pendant son sommeil?*) sur une image du livre. Une femme, géante et nue, s'y trouvait étendue dans une prairie. Elle occupait l'espace de plusieurs maisons, et le clocher d'une église lui arrivait à l'oreille. Elle dormait, la bouche entrouverte. Ses jambes étaient écartées et son sexe, poilu. J'ai ensuite vu qu'un petit homme lui grimpait à l'intérieur du corps, aidé d'un autre lutin qui le poussait tête première, tout entier dans la géante. Des lutins s'agrippaient à ses seins, d'autres tentaient de grimper le long de sa cuisse. Revenant vers son visage, j'ai compris que la géante ne dormait pas. Elle souriait et sourcillait, le même regard que j'avais aperçu chez les amoureux du sous-bois de la base de plein air. «Ils font du sexe», j'ai dit, et la fille a dit: «Oui, ils font du sexe, et à la fin le lutin pisse dans la bouche de la géante.» Nous sommes restées silencieuses. Il nous restait beaucoup à comprendre du mystère qui rendait cette image à la fois repoussante et excitante. Même la fille à la chambre de princesse savait ça.

Je me demandais pourquoi les amis de ma mère avaient d'aussi jolies maisons, tandis que nous habitions un quatre et demi de la rue Saint-Viateur sise au-dessus d'une boutique de sacs à main. N'étaient-ils pas tous pareils, ces adultes qui buvaient de la Black Label à cinq heures de l'après-midi, puis du vin en mangeant leur pintade à la moutarde de Meaux? N'avaient-ils pas tous les mêmes trente-trois tours de Ferré et les mêmes macarons du «Oui» dans leurs tiroirs à sous-vêtements, cachés sous les chaussettes pour oublier leurs larmes de mai 80? Ne s'élevaient-ils pas tous contre les politiciens au sujet des projets de loi qui les choquaient? Les amis de ma mère étaient professeurs d'université, ou travailleuses sociales, ou fonction-naires – il y avait bien quelques excentriques dans le lot: celui qui faisait pousser de l'ail et dont on voyait à peine le bout du nez sous son épaisse barbe noire, celle qui revendait des meubles indonésiens dans une boutique minuscule sur la rue Saint-Denis; mais, pour le reste, ils semblaient couler des jours paisibles dans leurs maisons remplies de «vitraux d'origine», et leurs frigos étaient toujours remplis de yogourts en portions individuelles. Chez nous, on achetait en vrac les céréales de riz soufflé, rangées dans des pots de vitre placés à vue sur le chauffe-eau de la cuisine, à côté de la fournaise au gaz.

Paule partait tous les matins pour servir de secrétaire à un monsieur à la coiffure moutonne, suant et rougeaud, qui travaillait dans l'import-export. Elle détestait ça. Quand je dessinais, allongée près d'elle sur le plancher du salon (des sirènes; plus tard ce serait des chanteuses), il m'arrivait de l'entendre au téléphone: «Je peux pas démissionner, on est en pleine récession. Il paraît que ça va empirer. Il y aura jamais d'avantages, jamais de sécurité. Mais au moins, j'ai une paie.» Chez ses amis, ça parlait de négociations, de syndicats en colère, de bénéfices durement acquis qu'il ne fallait perdre sous aucun prétexte. Ma mère se taisait, remplissait son verre en hochant la tête, mais son regard se perdait vers la fenêtre, se fixait sur les fils électriques au loin ou sur un érable rougissant de septembre, et autour d'elle le vide se faisait. Dans ces moments-là, elle ne pouvait pas être plus dissemblable de ses amis, et elle ne pouvait pas être plus seule.

Et puis certains jours délicieux, elle était là, entière. Ça se voyait tout de suite. Elle arrivait du travail le pas sautillant. Ses sacs étaient remplis de fruits et de pâte feuilletée, et, parfois, elle avait eu le temps de s'arrêter à la librairie pour acheter ce nouveau roman américain dont on dit du bien à la radio. Paule parlait, ces jours-là, avec délectation. Elle racontait sa journée au bureau, des bouts de son enfance passée à compter les boutons et les bobines de fil de sa grand-mère, ses accouchements, spectaculaires et comiques. Ces histoires nous ravissaient. Après le souper, nous lui demandions une promenade au parc ou sur la rue Laurier pour lécher les vitrines des magasins fermés, et elle disait oui. Sur le chemin, elle ne nous ordonnait pas de nous dépêcher, et elle s'arrêtait avec moi devant les jupes-culottes fleuries de Deslongchamps, que je convoitais avec une férocité presque troublante. «On va s'en coudre nous-mêmes, des vêtements à notre goût, ça va coûter moins cher», elle tentait du moins de m'en convaincre. Elle promettait qu'à notre prochaine visite chez notre grand-mère, nous emprunterions sa machine à coudre. Nous flânions ensuite sur les marches de l'église pendant de longues minutes, assez pour que je les traverse de bord en bord, marche après marche, en faisant semblant de marcher sur un fil au-dessus d'une rivière de crocodiles. Lorsqu'elle annonçait : « C'est l'heure, on rentre », sa voix n'avait pas le timbre familier de l'épuisement et de l'ennui. Rentrer, alors, recelait des promesses de bain moussant, d'histoires lues sans escamoter de pages et de lait chaud avant le sommeil.

Le lendemain matin, ses paupières se faisaient lourdes à nouveau, et lorsqu'elle grognait à Étienne de se ramasser dans la salle de bain, je savais que l'éclaircie était passée. Tout de même, j'attendais la prochaine, comme on attend une lettre, ou le printemps.

À l'heure de la sieste, il fallait se coucher sur des tapis de gymnastique bleu royal, liés entre eux par des lisières de velcro usées. La garderie, refuge et gueule du lion, était perpétuellement imbibée d'odeurs de cuisine : macaroni chinois, soupe aux légumes et cigares au chou. Nourritures chaudes et salées, gorgées d'oignons et de sauce soya. À la maison, nous ne mangions pas les mêmes plats, il y avait chez Paule une volonté obstinée de nous nourrir comme des adultes ; ou était-ce seulement l'espoir de ne pas sombrer elle-même dans l'abîme des « mets familiaux » ? Peut-être qu'au moment de déposer sur la table un cari d'agneau, elle était moins rappelée à sa condition de mère seule qu'en face d'un pain de viande. Toujours est-il qu'à la garderie, au moins, les repas étaient en phase avec l'époque, et je ne m'en plaignais pas. Lorsque venait la sieste, il ne restait du dîner que ses effluves persistants, et les sons rassurants de la vaisselle en épais plastique rose qu'on lavait dans la cuisine. On nous mettait de la musique douce que je reconnaissais et rejouais à l'infini dans ma tête, incapable de dormir. Couchée sur la housse plastifiée, une toute petite couverture (jamais assez lourde, jamais assez chaude pour dormir) sur les épaules, je passais l'heure allouée au repos à arracher et à rattacher le velcro du matelas. Je m'exécutais par mouvements saccadés, pour suivre le rythme des berceuses. On m'avertissait, et je m'arrêtais. Puis recommençais. Qu'y avait-il à faire sinon? Comment passer cette éternité et accéder enfin au pays des grands? Je scrutais les affiches posées au mur: l'hygiène des mains, l'habillement requis en hiver, la résolution de conflits entre amis. Fillettes blondes à lulus et garçons aux joues rousselées. Je ressemblais toujours plus aux garçons qu'aux filles sur les affiches, à cause de mes cheveux mêlés et de mes doigts gommés. Je fixais mon œil sur les échelles d'exercices, j'en comptais les barreaux jusqu'au sommet, puis je redescendais en nommant les lettres de l'alphabet. Au bas de l'échelle, je n'en étais qu'à «P», et il fallait alors remonter pour me rendre jusqu'à «Z». Les lettres, les chiffres, la harpe des berceuses, le velcro, le bleu, les visages endormis (Comment faisaient-ils? Par quelle chance avaient-ils accès à cet abandon?). Cette mollesse des corps m'attirait irrépressiblement, et il m'arrivait de faire courir mes doigts sur le genou de l'un ou le poignet de l'autre, juste pour mesurer la profondeur de leur sommeil. Je ne voulais pas les réveiller. Mais peut-être y avait-il, dans le contact avec ces dormeurs, une possibilité d'accéder à leur monde. Je parvenais parfois à poser le petit doigt sur un camarade, à l'y garder pendant de longues minutes, jusqu'à ce que mes doigts me chatouillent d'immobilité. Cela devenait aussi insoutenable que lorsque j'étais forcée de mettre les petits gants de cuir ajustés que ma mère m'obligeait à porter, même si je les perdais systématiquement et que je rechignais quand je les enfilais. Alors seulement je retirais ma main, et je retournais sur mon île matelassée, et je regardais la grande horloge ronde au-dessus de la fenêtre, la grande aiguille s'était posée sur le six, il restait encore une demi-heure à la sieste, mais j'avais épuisé mes chiffres, mes lettres, et mon doigt sur le genou de Claudia ou le poignet de Bobby. Les berceuses s'étaient tues, le seul son qui persistait était celui des souffles réguliers. *Patience, Tessa. Patience.*

le maillot

Les premiers acheteurs se reconnaissent à des kilomètres à la ronde. Ils ont le corps tendu par l'excitation. Ils sont au seuil de tout, littéralement. Le processus prend pour eux des allures symboliques: la distribution des clés, la plume avec laquelle ils signent leur promesse d'achat, le temps qu'il faisait lorsqu'ils ont visité la maison. Tanya et Marc n'échappent pas à la règle. Je leur ai fait visiter un condo près du canal de Lachine il y a quelques jours, et ils l'ont aimé tout de suite.

Je suis l'agent inscripteur de Steve, un banquier aujourd'hui déterminé à faire fortune à Toronto. Il a très peu habité son logement. Steve, en plus de travailler une douzaine d'heures par jour, passait le reste de son temps d'éveil au gym ou dans les restaurants fréquentés par des joueurs du Canadien, et n'avait pas cru bon de décorer son intérieur. «Une affaire de filles», m'avait-il lancé avec un clin d'œil. J'avais trouvé le geste généreux; il n'avait aucune obligation de faire un clin d'œil à son agente immobilière, d'autant plus que je compte une bonne dizaine d'années de plus que lui et qu'à ses yeux je devais avoir la présence sexuelle d'un sapin de Noël. Tanya et Marc n'ont pas trouvé déprimants les murs tristement écrus, ni les laminés des appartements modèles dont Steve avait manifestement hérité lors de son emménagement. Tanya les a trouvés *intéressants*, elle a ajouté que «ça faisait ressortir l'acajou des armoires de la cuisine». J'ai opiné: «Vous devriez envisager une carrière dans l'immobilier.» Son visage s'est fermé. «Peut-être après les traitements.» Marc m'a lancé un regard désemparé, de ceux qui crient, *Changez de sujet, ne tombons pas là-dedans, ma vie n'est qu'une longue discussion sur les câlisses de traitements de fertilité de Tanya*. Mais je n'ai pas eu le temps de les guider vers le walk-in que Tanya m'avait déballé son histoire: six ans d'essais, dont deux avec l'aide de médicaments, pour comprendre enfin que la fécondation in vitro restait leur seul espoir; elle trouvait ça difficile, les effets secondaires des hormones, Marc était bien patient, et elle gardait espoir, malgré tout. Quand j'ai répondu *trois garçons* à la question, classique, qu'elle m'a ensuite posée («Vous, vous en avez des enfants?»), son visage a pris toutes les expressions en même temps, la surprise, l'admiration, la tristesse, l'envie. «Trois garçons! Mais c'est formidable! C'est formidable! Tu as entendu ça, Marc? Trois petits garçons.»

J'ai décidé, dès lors, que j'aimais Tanya, et que je l'aimerais jusqu'au bout, même si elle affectionnait les armoires en acajou et qu'elle envisageait d'installer un lit d'eau dans leur chambre.

Aujourd'hui, dans un café trop cher de la rue Viger, Tanya arrive à notre rendez-vous avec un pot de confiture. «Pour notre ange gardien, dit-elle en me le donnant. C'est ma confiture aux framboises, je les ramasse moi-même avec ma mère, l'été, sur la terre familiale à Saint-Hyacinthe. D'habitude, les enfants aiment ça, la confiture aux framboises. Les tiens?»

Je la remercie, «oui, ils adorent ça», et je suis surprise, au moment de glisser le pot dans mon sac, d'avoir la gorge nouée et les yeux aveuglés de larmes. Cette fille, bardée de désirs simples et fondamentaux, me bouleverse, me renvoie à ma propre noirceur. Marc en rajoute, déclare que c'est par ses confitures que Tanya l'a séduit, et que «un homme qu'on prend par le ventre, on l'a pour la vie». Le cliché devrait me ravir par sa méprisable absence d'originalité, mais Marc pose sa main sur celle de Tanya, et les doigts de Tanya se resserrent sur ceux de Marc. Ils sont seuls, ensemble dans leur douleur, et tout en eux est magnifié, et je mange mes bas de vieille chialeuse. Ils sont l'amour, et il ne me reste plus qu'à me taire.

— Cinq mille sous le prix demandé, penses-tu que c'est raisonnable?

Marc a pris le ton des gens sérieux. Ses cheveux, normalement dissimulés sous une casquette à l'effigie des Yankees de New York, sont aujourd'hui gominés comme ceux d'un monsieur; du jeune banlieusard typique, celui que l'on rencontre en série à la Cage aux Sports, il ne reste presque plus rien. Ce Marc-là ressemble à un homme droit, aux épaules vastes. Pourtant, il est inquiet. Tanya n'a aimé aucun autre appartement autant que celui-ci. Ces derniers mois, il a dû lui faire des piqûres quotidiennes dans la cuisse, ils ont répété le même trajet, parfois trois matins par semaine, de Rosemont à la clinique de fertilité du boulevard Décarie, pour vérifier le nombre des follicules qu'elle produit, sont revenus la plupart du temps bredouilles, *Voyons voir dans deux jours.* Ils ont attendu des appels qui ne venaient pas. Tanya a suivi une diète parce que, sur Internet, un groupe de femmes ne jurait que par ça. Marc a noté dans son téléphone intelligent l'adresse d'un herboriste vietnamien qui avait réussi des miracles pour la femme d'un de ses collègues. Tanya a fait précéder et suivre chaque procédure médicale d'une séance d'acupuncture, pour Céline Dion, ça avait marché, *et regardez-la, elle aussi a trois garçons.* Marc s'est masturbé dans une pièce vert pistache et sans fenêtres de la clinique en essayant de ne pas penser à son enfant parce que ç'aurait été *mal*, mais en ayant toutes les misères du monde à s'en empêcher, parce que, franchement, que faisait-il là, à part un enfant ?

Rien de tout ça n'est dit, mais dans la main nerveuse qui frotte et refrotte sa barbe naissante, dans la peur de perdre un appartement pour cinq mille dollars, ce que Marc crie maintenant, c'est, *Tanya et moi, on a besoin d'une bonne nouvelle.*

— Je pense que c'est très raisonnable comme offre. Honnêtement, vous pourriez descendre encore un peu.

Tanya secoue la tête.

— Non, je veux pas le perdre.

— Le marché est lent, et l'appartement est à vendre depuis l'automne dernier.

— Oui, mais il y a d'autres visites.

— C'est vrai, mais la seule autre offre faite sur l'appartement était plus basse que la vôtre. Et elle avait été acceptée.

— Pourquoi ça avait pas abouti?

— L'acheteur s'est retiré. Il avait pas obtenu de prêt.

Tanya scrute le visage de Marc, y cherche un apaisement.

— Je sais pas. Je veux vraiment que ça marche.

— Si vous proposez dix mille de moins que le prix demandé, je suis pas mal certaine que ce sera accepté.

— Pas mal certaine, c'est pas entièrement certaine.

— C'est vrai.

— On pourrait aller dans le Sud, babe.

Marc a envie d'avoir confiance, les yeux qu'il pose sur moi sont ceux d'un garçon qui demande à son père si les montagnes russes sont vraiment sécuritaires. Tanya, elle, est tétanisée; une autre déception, évitable de surcroît, l'achèverait.

— OK, on reste à cinq mille de moins. On ira moins loin en vacances, c'est tout.

— On va être en vacances dans le condo! Il y a une piscine intérieure!

Tanya respire (*Quelle terrible injustice, quand même, qu'avec son corps tonique et son teint de monitrice de camp de vacances, elle peine à concevoir des enfants, alors que moi, la vieille pâlotte à la chair pâteuse, je suis*

devenue enceinte en claquant des doigts, qui peut croire
à un dessein intelligent devant ce manifeste gâchis?),
son visage s'anime, et elle s'empresse de signer. «C'est
ça que ça nous prend, mon amour. Je le sens.»

Je me maudis. Je n'ai pas choisi le lieu le plus invitant ni le moment le plus propice, je le reconnais. N'empêche. J'ai eu l'idée d'attendre jusqu'à maintenant pour m'acheter un maillot de bain, deux heures à peine avant notre premier cours de natation mère-enfant, à Oscar et à moi. *Rien d'énervant, un détail*, ai-je dû me répéter pour éviter la question, *cinq minutes et c'est fini*. Mais il y a plus de quarante minutes que j'erre tel un spectre dans les allées du Sports Experts du Centre Rockland, la mine patibulaire, devant les tristes étalages de maillots une-pièce qui s'offrent à moi. Tout, si on a le moindre souci de modestie (et par modestie, je veux dire *politesse*), est d'une déprimante austérité. Des modèles à grosses bretelles renforcées aux doublures couleur chair. Ceux pour nageuses, aux échancrures anachroniques et sans pitié. Des imprimés hibiscus et ananas qui trouvent le moyen d'être tristes comme la pluie. Je ne m'attendais évidemment pas à ce qu'un maillot m'appelle, il y a longtemps que je n'en demande pas tant – mais l'offre est si catastrophique, si démoralisante, que je pense m'effondrer là, sur le tapis à motifs géométriques du Sports Experts, m'étendre entre les rayons et attendre la mort. À la place, je fais l'effort suprême de me tourner vers la sélection des deux-pièces. Par bravade, par inconscience, qui sait.

C'est là que je la vois. Elle, un peu plus vieille que moi, je le remarque au soin du maquillage; elle a dépassé le moment où il est acceptable de sortir le visage nu. Elle se tient devant le rayon des bikinis, une jolie culotte rayée entre les doigts, s'imaginant la porter en public. Un éclat de joie mauvaise traverse ses yeux, aussitôt suivi d'un petit spasme lorsqu'elle remet la culotte à la hâte sur la tringle, avant qu'une vendeuse ne lui propose de la déposer en cabine d'essayage. Puis elle me voit la voir. Dans ce court moment, sa honte et la mienne ne font qu'une, nous sommes la seule et même femme, et je la maudis autant que je me maudis de m'être exposée, encore une fois. Qu'aurions-nous dû faire pour nous éviter ce supplice? Où cela aurait-il dû commencer? Aurait-il fallu que j'aie une mère reine de beauté, sacrifiant ses fins de semaine pour me traîner du cours de ballet à la leçon d'aérobie afin que l'on m'inculque dès l'enfance que mon corps est un temple à maillots de bain? Aurait-elle dû arracher sa fille aux livres auxquels celle-ci s'accrochait pour mieux l'envoyer nager, plonger, courir, sautiller, afin qu'elle développe cette belle poitrine tonique et discrète qu'arborent les athlètes? N'avions-nous pas été attentives, ne savions-nous pas tout ce que nous avions à faire pour qu'aujourd'hui, sous les néons du Sports Experts et les regards désolés et mielleux des vendeuses – qui, elles, *savaient quoi faire* –, nous puissions décrocher le deux-pièces délicat sans honte et sans peur?

Très vite, l'inconnue opte pour un maillot marron liséré de doré. Elle a compris comme moi que, pour gagner en coquetterie, le maillot doit perdre en sobriété, et qu'à tout prendre, le modèle bourgeoise vieillissante est préférable à celui, sans appel, de vieille fille coincée. Je hoche imperceptiblement la tête lorsqu'elle le choisit, un genre d'assentiment silencieux, et j'ai l'impression qu'elle me rend la pareille lorsqu'elle m'aperçoit prendre un maillot noir plutôt sportif, dont les bretelles croisées laissent néanmoins entrevoir un semblant de joie de vivre. Mais la révélation n'aura pas lieu. Ce n'est pas ici, au cœur du Centre Rockland, que la grande réconciliation des corps et des femmes adviendra.

À la piscine, le contact de nos pieds froids sur le plancher de céramique ne parvient pas à nous faire oublier le processus de déshabillage de nos corps. Arrivées avec nos manteaux, nos bottes de printemps, nos boucles d'oreilles et, pour quelques-unes, nos tailleurs de bureau; arrivées, donc, avec un semblant d'importance, un vœu d'élégance, nous sommes bientôt confinées à des cabines mal verrouillées, où nous nous tortillons dans nos maillots, ces reliques de déception, tout en essayant de ne pas mouiller les vêtements qui tombent au sol. Il faut aussi empêcher nos enfants d'ouvrir la porte de la cabine avant que nous soyons prêtes – car il y a pire que de se tortiller dans un maillot un soir de semaine au mois d'avril, il y a se tortiller dans un maillot à la vue de tous. Claquements d'élastique sur la cuisse. Bretelles qui s'enfoncent dans la chair. Seins replacés, égalisés, symétrisés. Oscar est prêt depuis longtemps, il patiente dans son maillot à carreaux devenu trop serré depuis l'hiver. Le ruban en caoutchouc de ses lunettes de plongée est entortillé, il le démêle, patiemment. Petit ventre à plis, blême comme le mien, qui se gonfle et se vide au rythme de son souffle de poulet – mon cœur se brise là, pour la millième fois, devant sa beauté et sa nonchalance. Son absence totale de regard sur lui-même me chavire, et je regrette amèrement ma conduite et ma sévérité. Combien de temps ai-je perdu à condamner ce corps qui a pourtant construit celui d'Oscar? Je suis prise d'une forte envie de rédemption, je veux me vautrer dans la sérénité, noter mes forces et toutes les merveilles de ma vie, je les méditerai, et pourquoi pas ouvrir un blogue, en finir avec le démon, le pulvériser à coups de bienveillance!

Puis je sors de la cabine et je tombe sur Ève, qui me salue en tirant ses jumelles vers la piscine, son bikini blanc déposé sur le roc hâlé qui lui sert d'abdomen, sa chevelure que l'on ne peut qualifier que de sexuelle-ment active, oui, elle est insupportable, je tire sur l'élas-tique de mon maillot pour m'assurer que je n'ai pas la moitié d'une fesse découverte, mon corps constellé des marques rouges de l'hiver me rappelle que la bien-veillance n'a jamais fait disparaître les vergetures. Pauvre idiote. *Comment as-tu pu envisager une seule seconde d'enlever ton linge devant Francis dans moins de quarante-huit heures? Parce que c'est bien de ça qu'il s'agit, non? Quand tu essaies un maillot dans un magasin et que tu l'achètes, quand tu te regardes dans le miroir du vestiaire de la piscine, puis dans le reflet de la vitre du bureau des sauveteurs, et encore dans le reflet de la fenêtre, c'est bien lui que tu imagines te voir? Tu l'imagines scruter le corps qu'il a connu mais qui a vieilli et s'est fané, ce corps qui n'était déjà pas une rose, se contentant d'être une espèce de marguerite bon* marché, ou cette fleur mauve qui pousse dans les fossés à Amos, on la mâchouillait et c'était sucré – *une fleur utile* –, comment s'appelait-elle, cette fleur, enfin, on se comprend. C'est ça, hein, pauvre idiote? Oui, c'est ça, c'est bien l'horrible et crasse envie d'adultère qui t'habite tandis que tu tiens la planche de ton fils qui bat des jambes dans l'eau.

Jim est en concert. Quand il s'absente, les garçons ne demandent jamais où il est. Il part souvent, c'est vrai, son métier implique quelque quarante concerts chaque année, sans compter les tournées et les festivals. Tout est consigné sur le calendrier des scouts. Ils savent tous les trois à quoi leur père s'occupe: il arrive à dix-huit heures trente à la salle de concert, son trombone dans une main, et la housse de son smoking, pressé, dans l'autre. Il salue ses collègues, Gerry le percussionniste, Bernard le bassoniste, Sophia l'alto. Ils font des blagues pour se détendre, puis Jim s'échauffe, parmi les collègues, dans la cacophonie caractéristique d'un orchestre qui s'accorde. Vers dix-neuf heures quinze, il se change, noue son nœud papillon, lace ses chaussures, replace ses cheveux. Vers dix-neuf heures quarante-cinq, il nous appelle. Il ne parle presque jamais du programme de l'orchestre. Jim n'a pas besoin qu'on l'admire. Il appelle et demande si l'exposé oral de Boris est prêt, «est-ce que l'éducatrice d'Oscar est encore en congé de maladie, est-ce que Philémon a mangé son lunch?» Il veut savoir si je vais bien. Si, aujourd'hui, la piscine a été bonne. Je choisis de taire ma sortie chez Sports

Experts. Je choisis, comme hier, et comme avant-hier, de ne pas lui parler de Francis. Ce n'est pas dans mes habitudes de lui mentir. Seulement, jusqu'ici, je n'ai pas eu de raison de le faire. Je dépose le contenu du paquet de linguine dans l'eau bouillante (encore des pâtes, la troisième fois cette semaine), et le nuage de vapeur dissipe, un peu, celui de ma culpabilité.

— Nerveux?

— Non, ça va. On pourrait jouer les yeux fermés.

— Moi aussi, je connais le programme de ma soirée par cœur. Ça m'empêche pas d'avoir la chienne.

Le soupir de Jim. Pas de l'agacement, de l'empathie. Cet homme m'aime.

— Les garçons sont impossibles?

Comment lui dire que les garçons n'y sont pour rien? Que la seule qui est impossible ici, c'est moi?

— Non. C'est une blague. Tout va bien.

Il y a quelques mois, dans une boutique du centre-ville, le genre d'endroit qui camoufle la médiocrité de sa marchandise par un décor soi-disant artisanal, j'ai déniché un t-shirt volontairement élimé qui porte l'inscription: «Tout va bien.» L'ironie, intentionnelle ou non, m'a amusée. Je l'ai acheté. Je le porte souvent. Jim, lui, s'amuse de ma dureté, elle le galvanise et l'attire. Il prétend que le t-shirt est dépourvu d'ironie. Tout va bien, vraiment. *Tout va beaucoup mieux que je l'aurais imaginé*, dit-il souvent.

— Je t'aime, tu sais. Branche-les sur la télé si ça dégénère.

— Déjà fait, capitaine.

— À plus tard, honey.

L'eau des pâtes monte, déborde, répand l'amidon sur les ronds de vitrocéramique de la cuisinière, qui se mettent à fumer. Je sacre et cours égoutter la casserole dans l'évier. Un autre coup de vapeur, un autre soupir qui me fait fermer les yeux. Est-ce ici que tout change? Est-ce ici que mon histoire se casse?

Ils remarquent peu l'absence de Jim, disais-je. Et si c'était moi qui ne rentrais plus? Au début, mes disparitions resteraient furtives; en général je serais là, sauf un soir ou deux par semaine. S'en rendraient-ils compte? Les premières fois sans doute. Oscar ferait le tour de la maison, répéterait mon nom, ne comprendrait pas. Mais il s'y ferait. Tout peut devenir une habitude. Un soir, deux soirs, cinq soirs, une semaine.

Un mois.

Tout le monde s'y ferait. C'est bien ça, le drame.

Après vingt heures, la maison change de rythme. Seul Philémon veille jusqu'à vingt et une heures, et ce petit répit silencieux – il ne faudrait pas exciter Boris et Oscar – me rappelle d'autres temps. Philémon et moi avons été seuls, tous les deux. Né pendant la fin des études de Jim, il est rapidement devenu le troisième colocataire de notre appartement. Je l'emmenais partout, déterminée à ne pas me couper du monde, et nous allions nous asseoir, lui dans sa poussette, moi sur les bancs des parcs que je visitais en rotation: Laurier, Jarry, Jeanne-Mance, Maisonneuve, Westmount, Lafontaine. Nous regardions passer les saisons. Philémon était un bébé attentif et sérieux, doté d'une sorte de rigueur quant aux choses de la vie. Il dormait, buvait, observait et pleurait avec la même minutie, comme on s'applique à une tâche ardue. La force avec laquelle je l'ai aimé sans relâche pendant ces premiers mois m'a réveillée et terrifiée à la fois. À présent, les soirs où Jim travaille, Philémon les passe au salon à faire tourner ses chansons préférées, ses gros écouteurs rouges sur les oreilles. Parfois, il pianote sur l'écran tactile, échange avec des amis, des filles peut-être. Je lui laisse ses mystères. Parce que malgré les écouteurs et les vertigineux centimètres qu'il a pris depuis sa naissance, il reste que c'est lui, près de moi, sur le canapé, et que si je lis maintenant un article sur le deuxième mandat d'Obama et qu'il écoute sa musique, ce que nous faisons, c'est encore et toujours la même chose. Nous regardons passer les saisons, ensemble.

Je me réveille en sursaut lorsque Jim rentre, juste avant minuit. Les bruits familiers de la clé dans la porte, de son trombone qu'il dépose sur le plancher et de la chasse d'eau des toilettes, tout ce qui d'ordinaire me rassure fait lever en moi une panique, une nausée diffuses, et j'allume la lampe de chevet. Ai-je oublié quelque chose? J'ai pourtant effacé l'historique de mon portable après avoir passé une heure à chercher des traces de Francis, puis d'Évelyne, puis de leurs enfants. Je voulais des photos de lui. Des articles sur elle. Les enfants – ils sont si mignons – ont-ils tourné dans des publicités? Participé à d'adorables documentaires sur Montréal, les CPE ou les traditions de Noël de leur école? Cette famille jouit-elle d'une notoriété qui m'aurait échappé, partageaient-ils un secret, un parcours d'exception, avaient-ils fait les nouvelles? Je n'ai pas trouvé grand-chose. Évelyne, psychologue de formation, a collaboré à quelques protocoles de recherche en santé mentale pédiatrique et assume une charge de cours à l'Université de Montréal en psychoéducation. Le cours qu'elle donne cette année s'intitule *Évaluation des retards de développement*. En 2013, un magazine féminin l'a interviewée à titre d'experte pour un article portant sur la discipline chez les enfants autistes. «Il ne faut pas oublier que l'enfant autiste n'est pas dépourvu d'émotions, au contraire. Il a seulement de la difficulté à les communiquer de la même manière que nous. Il faut donc être particulièrement attentifs à ce qu'il essaie de nous dire à travers ses crises.» En lisant ça, je l'ai revue, les yeux en déluge et la main qui tirait sur le bouchon de liège. Évelyne, démunie, perdante, et le pire, c'est que cette image n'avait aucune difficulté à se superposer à celle d'Évelyne en experte, cheveux brillants et poignée de main ferme. Sur lui, je n'ai rien trouvé. À peine la mention de son nom sur une photo de groupe: «L'équipe d'ingénieurs du RBQ a encore remporté le tournoi de golf cette année, félicitations!», suivie d'un mot entre parenthèses: «absent». Il n'est présent sur aucun réseau social, à croire qu'il vit bel et bien en 1999, comme je le croyais depuis tout ce temps. Ma recherche m'a laissée frustrée et bouleversée. *Évelyne souffre,* je me suis répété, *Évelyne souffrira de ça.* Maintenant que Jim avance dans le corridor vers notre chambre et que je revérifie une troisième fois, le visage baigné de la lueur du portable, que j'ai bien effacé toutes mes traces, ça m'explose au visage.

Il ouvre la porte doucement, me croyant endormie et ne voulant pas troubler ce sommeil qu'il sait léger. Jim est content de me trouver les yeux ouverts, il ne le dira pas, mais je sais à quel point il aime que je sois réveillée lorsqu'il rentre. Il s'assoit près de moi, une main sur ma joue, une main dans mes cheveux, ses lèvres sur mes yeux, mon nez. La tendresse infinie de Jim qui chasse presque tout. Les concerts et les parties de hockey l'électrisent, lui donnent envie de moi. Ou peut-être choisit-il délibérément de me livrer cette force, de me la céder. Qu'il ait ce désir, ou ce désir de me désirer moi, ne représente pas une grande différence: le choix qu'il fait demeure immensément généreux et le rend, pour tout dire, irrésistible.

Bientôt je suis déshabillée, il m'a retiré ma culotte, sans hésitation, et il m'est naturel d'ouvrir les jambes et de l'inviter. Son grand souffle d'instrumentiste bloque tous les sons, les garçons pourraient se réveiller et accourir, je ne les entendrais pas, ici il n'y a que notre vague et notre respiration, que le concentré de nous deux, quinze ans de gestes répétés, adorés, néces-saires et maîtrisés, rien d'autre n'existe, il sait tout ce qu'il faut pour me ramener à la vie et me faire perdre conscience, ces minutes sont l'or de nos existences et je m'y noie, et c'est si bon, alors pourquoi ces larmes qui coulent jusqu'à l'oreiller, *pourquoi ces larmes que tu dis-simules en les écrasant sur le drap et en gémissant plus fort ton plaisir si ce n'est parce que tout te pousse vers vendredi, vers cet autre homme, celui avec qui tu n'en as pas fini, et Jim souffrira de ça.* Tout ce qui se joue en boucle, désormais, c'est cette effroyable, inacceptable, inéluctable sentence, *Jim souffrira de ça, et je vais le faire quand même.*

1993

Nous étions les quatrièmes. Avant nous, dans la file, un couple d'Anglos plus vieux, un scalper à casquette et une bande de garçons de Notre-Dame. J'ai eu envie de faire marche arrière. Nous attendions en pleine rue Sainte-Catherine, et nos parents ne savaient pas où nous étions, Sophie et moi, chacune avait déclaré dormir chez l'autre, s'il nous arrivait malheur (Quoi? Les élèves des écoles privées n'étaient-ils pas les plus tordus? Je venais de lire *Le maître des illusions*, je savais de quoi je parlais), personne ne l'apprendrait. Du moins pas avant longtemps, pas avant qu'on nous ait balancées au fond du fleuve les seins charcutés, mais Sophie a dit: «Arrête.» Elle connaissait un des garçons, elle l'avait croisé à une danse d'Halloween et il était inoffensif. Elle s'est assise sur le trottoir derrière eux et leur a quémandé une cigarette, ils la lui ont fournie. Je n'ai pas voulu m'asseoir. J'avais apporté un sac de couchage et un oreiller, mon sac à dos débordait de provisions, des noix, deux pommes, des barres 3 Musketeers, deux cokes, et je venais de comprendre que j'étais la seule avec des bagages. L'été s'en venait, il ne nous restait que quelques examens à boucler avant les vacances, et la nuit était douce. Personne n'aurait besoin d'une veste ni d'un sac de couchage pour se tenir au chaud. Un des garçons du privé (Olivier, il nous dirait bientôt son prénom) distribuait du gin, Sophie buvait déjà à la flasque de métal (grande lampée), puis ç'a été mon tour (fausse gorgée maladroite). J'avais pensé naïvement qu'il serait possible de dormir. N'était-ce pas ça, le projet? « Tess, on va dormir dans la rue pour acheter nos billets de Pearl Jam! » Sophie était déterminée à ce que nous soyons à l'auditorium de Verdun en août, et elle affirmait qu'il n'y avait pas de moyen plus sûr pour y arriver que de dormir devant le Spectrum; nous serions les premières à avoir accès au guichet Admission dès son ouverture, à dix heures. Je lui avais proposé de m'essayer au téléphone, j'étais capable de recomposer le numéro cent fois si c'était nécessaire, et j'étais lève-tôt, vraiment, ça ne me dérangeait pas. Mais Sophie avait insisté, et Étienne avait opiné. Mon frère ne ferait pas lui-même un tel sacrifice pour Pearl Jam, trop pop, mais il confirmait que si je tenais à voir Eddie Vedder en personne, c'était la marche à suivre. Raph aussi serait au spectacle. La veille, à la cafétéria, il avait dit que son père – journaliste – aurait un laissez-passer de presse et qu'il l'accompagnerait. Il l'avait dit en ramenant derrière son oreille une mèche de ses cheveux trop blonds pour être raisonnables, ce geste m'avait donné envie de mourir et de me déshabiller, et j'avais décidé dès lors que rien, pas même ma couardise, ne m'empêcherait de chercher tous les moyens de me trouver à l'auditorium de Verdun avec lui au mois d'août.

Ainsi j'avais emporté mon oreiller et mon sac de couchage vert et mauve, ridicule sous les lumières du Spectrum, rempli mon sac à dos, noué ma chemise à carreaux autour de ma taille, chaussé mes bottes du surplus de l'armée, et j'avais suivi Sophie. Il était minuit et quart quand Olivier nous a offert une première gorgée de gin, minuit et demi quand j'ai réussi à déposer mon oreiller et mon sac de couchage sur le sol derrière Sophie, et minuit quarante quand Nico, l'ami d'Olivier, m'a demandé mon nom.

— Tessa.

— Tessa? T'es juive?

— Non.

— On a déjà eu une femme de ménage qui s'appelait Tessa. Elle était juive. Polonaise.

— Cool.

— Donc t'es pas juive.

— Non, moi je suis rien.

— T'as un nom original.

— C'est un leurre.

— Un quoi?

— Un leurre.

Nico a prétexté un lacet à attacher et m'a tourné le dos. Ma mère a toujours dit que l'ironie et le sarcasme étaient signe d'intelligence. Peut-être que c'était pour se rassurer sur mon compte. Mais elle avait oublié d'ajouter qu'à Montréal, en 1993, ni ironie ni sarcasme ne connaîtraient de succès avec les garçons des beaux quartiers. De toute manière, Nico ne m'intéressait pas. Ses cheveux ne m'émouvaient pas, et j'étais certaine qu'il ne jouait pas de la basse dans un band de grunge. Raph, lui, faisait les belles heures des danses de notre école secondaire avec son groupe Sad Dolphin, et ils avaient tous gravé des dauphins sur leurs étuis d'instrument, et le dauphin de Raph était le plus beau, et jamais je n'avais été aussi amoureuse.

Derrière nous se sont ajoutés deux cégépiens pourvus de dreadlocks, gaieté de cannabis et balles de aki. Ils ont formé un cercle avec les Anglos, et leur partie a duré une bonne partie de la nuit. Personne d'autre ne s'est pointé. Malgré ma fièvre pour Eddie Vedder et ma détermination à vivre quelque chose d'exceptionnel, force était d'admettre que cette nuit passée dehors était d'un ennui grave. J'ai pensé à la page cornée de mon exemplaire des *Hauts de Hurlevent* qui m'attendait sur la table de chevet de ma chambre. J'ai regretté de ne pas l'avoir apporté. Sophie fumait avec les garçons du privé, déjà complice, elle les interrogeait sur tout – leur vie, leurs parents, leurs envies de voyages, leurs films cultes, leur chocolat préféré – et le contraste, déjà fort, entre sa luminosité et ma maussaderie de marde, aveuglait. Je me suis portée volontaire pour les aller-retour au Dunkin' Donuts d'à côté, qui nous fournissait en gobelets de café chaque deux heures. La deuxième fois, vers quatre heures du matin, Sophie m'a accompagnée. «Olivier est amoureux de toi», ai-je constaté. Sophie a roulé des yeux tout en fronçant les sourcils, un exploit réussi par elle seule, un exploit irrésistible qui voulait dire, *Je suis pas d'accord mais je suis d'accord et je le dirai pas mais ça me plaît*. Et c'était vrai, tout était vrai chez Sophie. Son audace, sa loyauté, sa bonté, sa négligence, sa douleur, son plaisir. Je n'avais jamais eu, n'aurais jamais de meilleure amie. Qu'elle m'ait choisie pour l'accompagner jour après jour, dans les cours monotones (que j'aimais plutôt, en fait), les partys délirants (qui me terrorisaient), les chalets silencieux (où je passais la nuit, les yeux grands ouverts, à l'écouter ronfler et à en remercier le ciel parce que de l'entendre là m'empêchait de sombrer dans un naufrage d'anxiété), qu'elle m'ait choisie, moi, alors que les autres filles auraient voulu l'avoir pour meilleure amie, constituait le plus grand et le plus beau mystère de tous. Sophie m'était restée fidèle depuis les premiers jours du secondaire où nous nous étions trouvées à la même table de la cafétéria. Je lui avais offert la moitié de mon sac de Doritos, elle m'avait demandé si c'était moi qui avais chanté *Avec le temps* aux auditions de la chorale. J'avais bégayé de gêne et d'extase que ce moment, si fondamental dans ma cartographie du monde, habite les souvenirs de quelqu'un d'autre. *Oui, c'était moi. C'était con comme choix.*

Elle avait répliqué que j'étais conne de parler comme ça, ensuite elle avait aimé les tounes de John Lennon dans mon Walkman. *Woman Is the Nigger of the World.* Ça lui parlait, à Sophie. Je n'ai jamais remercié mon frère d'avoir enregistré ces chansons-là sur une cassette, dans l'ordre précis où Sophie les a entendues ce midi-là, à la cafétéria. Étienne, magnanime, avait toléré que je la lui emprunte, même si c'était sa préférée.

J'aurais dû le remercier. Parce que c'est elle qui a mené Sophie jusqu'à moi, et que ma vie en a été transformée.

Heureusement, il y avait l'achat répété de beignes pour que je puisse m'haïr en paix. Malgré toutes mes acrobaties d'usage pour esquiver discrètement leurs joints, leur gin et leurs buvards, j'étais convaincue qu'ils *savaient* tous. Il suffisait d'avaler quelque chose de louche, dans un lieu obscur avec de la musique forte, pour être cool. Moi, je ne cessais jamais d'avoir peur. Je n'étais jamais cool. Sophie s'en torchait, comme elle disait, elle me trouvait drôle au naturel, *pas besoin de rien, t'es déjà folle.* Tout de même, c'était nul, j'étais nulle, tout le monde le savait. Mon cœur s'est emballé devant l'étalage des beignes fourrés. «Vous en voulez six ou douze?» Mes oreilles bourdonnaient, je ne l'entendais plus, l'évanouissement était proche, et le seul impératif était que ça ne m'arrive pas devant tout le monde. J'ai marmonné des excuses maladroites, couru aux toilettes et fait la seule chose que mon corps me dictait: je me suis couchée sur le carrelage poisseux, mais frais.

Le froid a soulagé ma nausée. Pas ma peur de mourir. Il m'a fallu plusieurs minutes de conversation intérieure pour la calmer, celle-là. *Il est cinq heures du matin, mais quand même, tu es fatiguée, oui mais, tu as mangé trop de sucre, c'est vrai, tu as bu trop de café, je bois toujours du café, tu ne fais pas une crise cardiaque, comment tu sais? tu es juste fatiguée, peut-être, tu ne vomiras pas, mais d'un coup que, tu ne mourras pas, penses-tu? tu ne mourras pas, d'accord, tu ne mourras pas.*

J'avais déjà eu ça, furtivement, un mal de cœur après une grosse tarte au sucre qui m'avait donné l'impression d'être cataclysmique, une insomnie inquiète, le nuage de Tchernobyl, l'enlèvement du petit garçon dans Hochelaga. Mais une fin du monde comme celle-là, c'était la première. Elle était passée, à présent. Le corps reprenait son rythme normal. Je garderais tout de même le doigt sur mon poignet, à prendre mon pouls pendant un temps interminable. Lorsque j'ai repris ma place parmi les campeurs avec la boîte de beignes que j'avais réussi à acheter en sortant des toilettes (*si je réussis à acheter cette boîte, c'est que je ne vais pas mourir*), je n'ai eu aucune difficulté à poursuivre ma conversation avec Sophie là où je l'avais laissée.

— Je suis juste une grosse laide sans avenir, on va se le dire. C'est tout ce que je suis.

— T'es vraiment trop conne, mon amie.

— Non, mais si on regarde ça froidement, là. Si on s'en tient aux faits scientifiques. C'est tout vrai.

— C'est tout faux.

— Tu dis ça parce que t'es gentille. T'es mon amie, en plus.

— Je dis ça parce que c'est vrai. T'es trop conne. Pas grosse ni laide, et certainement pas sans avenir. Mais t'es conne.

— Conne laide grosse sans avenir.

— Mais tais-toi, malheureuse.

Quand le soleil s'est levé sur la rue Sainte-Catherine, nous en étions à jouer au tic-tac-toe sur mon sac de couchage. J'allais mieux. «J'ai eu un genre de chute

de pression dans la toilette, trop mangé de beignes.»
Je l'ai dit avec nonchalance, comme un test. Serais-je
douée pour le mensonge? Si Sophie a flairé quelque
chose, elle a eu la classe de ne pas chercher plus loin,
et puisqu'Olivier avait dégueulé sa pizza de quatre
heures du matin devant tout le monde, je lui accorde-
rais sans peine la palme du malaise et je passerais le
mien sous silence.

Dix heures est arrivé vite, au bout du compte. La
file d'attente avait commencé à grossir au lever du jour
et, à l'ouverture des guichets, elle tournait le coin de la
rue et s'étirait presque jusqu'à René-Lévesque. Un peu
tremblantes, Sophie et moi avons empoché nos billets
et filé chacune chez nous. Après une sieste comateuse
de quatre ou cinq heures, nous nous téléphonerions.
Je lui dirais: «Tout s'est vendu en vingt-deux minutes.
T'imagines? Vingt-deux minutes!» Elle répondrait:
«Tu vois, on a tellement bien fait!»

Elle saurait, ou pas, que cette nuit blanche, passée
dehors, constituait pour moi un acte héroïque. Quelque
chose venait de s'attacher, un nœud de marin entre le
cœur et les pieds, quelque chose comme la bravoure, et
je me vautrerais dans le souvenir de ma témérité pendant de longues semaines.

Il aurait fallu partir vendredi matin. Mon père l'avait répété toute la matinée tandis que nous cuisions sur la banquette arrière de sa voiture. Au poste douanier de Lacolle, nous attendions en file depuis déjà deux heures. Il aurait fallu qu'ils prennent leur vendredi, Monique et lui. Tout le monde sait que le premier samedi des vacances de la construction est un enfer routier. Mais elle n'avait pas les mêmes conditions de travail que lui, Monique l'avait répété toute la matinée. «Et de toute manière, si tout le monde avait été prêt à six heures trente, comme prévu, le passage aux douanes aurait été une partie de plaisir, Yves.» J'ai attendu la suite, formant les mots dans ma tête quelques secondes avant qu'elle les dise, *Anthony et moi, on était prêts.*

Anthony, douze ans, fils unique et garçon au front perpétuellement luisant de malaise, a détourné la tête d'un mouvement sec du cou, comme chaque fois que sa mère l'incluait dans ses récriminations, embarrassé par son manque de *street smarts.* Il ne disait rien, mais son cou parlait pour lui, et Étienne et moi avons échangé un regard. *Elle fait dur. Il fait pitié. Who cares?*

J'ai reporté mon attention sur les centaines de voitures immobilisées.

Les gens allaient et venaient, qui aux toilettes, qui à sa pause cigarette, qui à la machine à Pepsi. J'observais attentivement la marée de t-shirts pastel et de shorts de golfeurs, tentant d'apercevoir, par le plus improbable des hasards, la famille de Raph, partie elle aussi en vacances ce jour-là. Mais Raph ne passait sûrement pas ses étés sur les plages bondées du Maine. Ses parents collectionnaient des livres sur l'histoire de l'Inde ou la cuisine végétarienne, et leur salon était meublé de poufs marocains; pas de divans, seulement des poufs. Ils se trouvaient sans doute dans un ashram ou un camp musical. Sa famille était indiscutablement plus cool que la mienne.

Sur la banquette avant, Yves avait posé sa main sur la cuisse de Monique. Monique et son fredonnement con-ti-nu-el des chansons rock-détente de la radio. Monique et son parfum *Anaïs Anaïs* bruyant. J'ai pensé à ma mère, à la tête qu'elle faisait en bouclant nos bagages après l'appel de mon père à sept heures et quart, *On arrive, soyez prêts, là*. Depuis le déménagement de Yves à Montréal, nos vacances, c'est lui qui s'en occupait. J'ai revu la tête de Paule penchée sur ma valise de toile usée, dont une des ganses tenait grâce à une épingle de sûreté. Ses cheveux blancs sous le henné.

— Tu vas faire quoi, pendant qu'on sera partis?

Paule avait cherché des yeux son café, déposé sur le bahut de l'entrée, comme pour retarder sa réponse.

— Je vais travailler, tu le sais.

Et avec sa réponse était venu un soupir, celui de l'éternelle fatigue de ma mère, celui que j'entendais où que j'aille. Je n'étais, de toute manière, d'aucun secours. Mais j'avais eu envie de lui crier, *Pars en cavale avec tes amies, sauve-toi avec un amant dans Charlevoix, achète un billet d'avion pour Paris, mets-le sur ta carte de crédit, vas-y toute seule s'il le faut, mais pars, s'il te plaît, ne va surtout pas travailler, pas quand tes enfants s'en vont à Wells, Maine, avec leur père dans une Camry empestant le parfum, pas quand tous les autres ont le droit, eux, de tout avoir même si leurs choix sont débiles.*

Je ne l'ai pas fait.

— De toute façon, ça va être plate. Monique va encore nous obliger à jouer au mini-putt.

Il y a bien eu une fraction de seconde d'envie de rire dans ses yeux, je le savais, je le voyais. Elle aussi, elle détestait les parfums de madame et le rock-détente. Puis, autre chose l'avait traversée: la déception. Pire que la kétainerie pour ma mère, il y avait la méchanceté.

— Tessa, fais un effort, franchement.

Cette phrase-là m'est revenue dans la voiture, au moment où je m'apprêtais à exiger un changement de poste. J'ai sorti mon Walkman et tendu la moitié gauche des écouteurs à Étienne. Ce pauvre Anthony n'y aurait pas droit, mais je ne pouvais rien y faire. Monique n'avait qu'à lui en acheter, un Walkman.

Elle avait promis que nos vacances seraient exceptionnelles. Elle connaissait bien les Wells Seaside Cottages pour y avoir passé plusieurs étés avec ses sœurs et leurs enfants; nos soirées seraient d'ailleurs remplies de feux de camp avec ses nièces et neveux. Le motel possédait une piscine à l'eau salée, il y avait même des vélos à la disposition des logeurs.

Ce qui était exceptionnel pour Monique, cette femme qui, à Noël, m'avait offert un étui à crayon en vinyle à l'effigie de New Kids on the Block, ne le serait pas forcément pour moi.

Les Wells Seaside Cottages n'avaient de *seaside* que le nom. La mer n'était même pas visible des cabines, et il fallait traverser l'autoroute pour y arriver. Le fantasme principal de mes vacances (moi, tout habitée de Raph, marchant seule sur la plage tandis que s'éloignaient les lumières scintillantes d'un petit chalet rustique, le nôtre) s'effondrait. Nous avions aperçu la plage en traversant le village, une petite bande de sable aplati, sur laquelle des milliers de baigneurs rougis s'étaient échoués parmi les parasols et les débris de leurs glacières. Pas de marées, à part celles des peaux distendues. La promesse de chalet-charmant et des nièces-et-neveux-adorables s'est pulvérisée aussi vite que mes visions romantiques. Les neveux de Monique, deux énervés de onze ans, arboraient une chevelure garnie d'une queue de rat, oui, les deux. La nièce, un peu plus vieille que moi, vouait un culte à Bon Jovi, comme en faisait foi le t-shirt qu'elle portait noué au-dessus du nombril. Son adoration l'avait menée jusqu'à copier la coiffure bouffante de Jon. «Ça croustille», ai-je dit à Étienne en la regardant s'éloigner après les présentations d'usage. Il m'a fusillée avec des yeux agacés, pour me rappeler que je n'étais pas drôle quand j'étais cheap, et j'ai grogné, c'était lourd d'avoir un frère aussi hippie.

Après cinq jours de plage brûlante suivis d'autant de soirs de hot dogs, j'avais épuisé mon répertoire de scénarios alternatifs (*et si, en marchant vers la petite station-service après le souper pour acheter des Popsicle, je tombais sur la voiture du père de Raph? Je verrais la portière s'ouvrir et mon cœur s'arrêterait. Raph poserait le pied sur l'asphalte, je pourrais discerner la tache de naissance sur sa cheville, et il serait charmé étonné pris de court, et on se dirait quelque chose comme,* Quel bled de merde, non? *Il me proposerait de venir le rejoindre derrière leur cottage qui donnerait sur une plage privée, et je m'enfuirais quand tout le monde serait couché, et Raph me pétrirait les seins derrière une dune, il voudrait m'enlever ma culotte,* Vas-y, fais-le, je veux ça, je veux ça depuis trop longtemps, je le veux à le crier dans mon sommeil. *La douleur serait exquise. J'emporterais une poignée de sable de notre dune pour ne pas l'oublier. Le lendemain j'appellerais Sophie et je ne glousserais même pas, je serais devenue discrète et gorgée de secrets merveilleux, ensuite Raph me téléphonerait,* Je t'attendrai ce soir, *et il le souhaiterait vraiment*).

Rien n'est arrivé, ni l'amour ni un bronzage digne de ce nom. Nous rentrions le lendemain, et je n'attendais que ça. Ce soir-là, comme tous les autres, nous nous sommes entassés dans le chalet de Sonia, sœur de Monique et mère de Bon Jovi, qu'Étienne avait réussi à peloter parce qu'il ne faisait pas de discrimination et qu'elle avait l'air cochonne. À ce stade de mon ennui, abyssal, je ne le blâmais pas, mais je m'amusais ouvertement de la naïveté d'Anthony, qui croyait que sa cousine apprenait à pêcher avec Étienne. Bref, Étienne, Bon Jovi, Anthony, les deux queues de rat et moi, nous étions entassés devant le téléviseur dans le chalet de Sonia pour la diffusion du concours Miss America sur les ondes d'ABC, une station qu'on ne captait pas à la maison et que ma mère ne nous aurait jamais autorisés à regarder. Les adultes, eux, fumaient près du feu, dehors.

Le bronzage de Miss Indiana était raté, selon Bon Jovi. «Miss Georgia a tellement des yeux de grenouille. Miss Texas, wow, t'as vu ses cheveux? Miss Utah, c'est quand même la moins pire.» «Ah non, moi j'aime mieux Miss Vermont.» «Miss Vermont? T'es vraiment granole, Étienne.» J'ai voulu appuyer mon frère et favoriser Miss Vermont moi aussi, mais, en vérité, j'étais hypnotisée par Miss Washington, une longue brune à l'iris presque mauve et à l'allure si tranquille qu'elle prenait des airs de statue. Miss Washington parlait peu – pourtant, elle avait la plus belle voix du lot, un beau registre alto, chaud, doré –, mais si elle ne disait rien, c'est que c'était superflu. Qui a besoin d'entendre une statue millénaire? «Elle répond seulement par oui ou par non, Miss Washington, avez-vous remarqué? Probablement parce que c'est les deux seuls mots qu'elle est capable de retenir», j'ai lâché.

Après la courte brûlure que me causait ma propre cruauté, j'étais à l'abri. Personne ne pourrait découvrir que j'aspirais en secret à devenir Miss Washington.

Elle avait travaillé, comme annoncé. Au retour de Wells, nous étions épuisés par la route et les fredonnements de Monique. Notre mère ne nous a pas fait subir le récit détaillé de sa semaine, et elle ne nous a pas demandé de lui raconter la nôtre. Elle a voulu savoir si nous avions faim, puis elle nous a attablés devant un restant de poulet grillé. Il y avait du thym et du miel sur la peau du poulet, un mélange que Monique aurait qualifié de *spécial*. C'était bon, certes. Mais ce n'était spécial que si on n'avait jamais rien goûté dans sa vie. Je me suis demandé pourquoi Paule ne nous questionnait pas sur Monique ou sur les femmes qui l'avaient précédée. Elle devait bien les détester autant que nous, non? Elle pourrait, elle aussi, se délecter de leurs failles grossières, de leurs vêtements de madame et de leurs bijoux clinquants. Si elle savait que Renée, la dernière en titre avant Monique, assortissait son manteau d'hiver à ses pinces à cheveux, et son sac à main à la robe de sa fille! N'était-ce pas là une formidable information?

— Tu sais, la blonde de papa pense que boire du froid dans une tasse, c'est mal.

— C'est son choix.

— Imagine, elle sait même pas c'est quoi des tortel-lini!

— Toi, tu viens juste d'apprendre ce que c'est du gelato.

— Mais j'ai quinze ans!

— Ça t'autorise pas à être une chipie.

Du béton armé. Ma mère ne se prêtait jamais à ce jeu-là. Elle se défoulait peut-être avec ses amies. Entre elles, elles déchiquetaient ces femmes qui avaient pris leur place auprès des hommes qu'elles avaient torchés de l'université à la mi-trentaine. Avec elles, ma mère redevenait la Gorgone que je la savais être et qui avait diablement raison d'être en tabarnac. Peut-être.

Je pensais pouvoir emprunter un vêtement à ma mère pour le party chez Hannah. Je ne connaissais pas cette dernière, c'était une amie de Mandy, la seule anglo de la classe. Hannah habitait à Westmount et ses parents enseignaient la médecine à McGill. Cette description sommaire me paraissait en elle-même intimidante, et que Mandy souligne, au moment de nous inviter, la *huge fucking mansion of a house* de Hannah ne faisait rien pour calmer mon angoisse. Comment se présenter là sans suinter ma Petite-Patrie intérieure et mon incapacité à être gracieuse? «Tessa, tu as un joli nom, mais c'est bien tout ce que tu as d'une ballerine», avait ricané Chantal, la directrice de l'école de danse où je m'étais aventurée pendant une demi-session en quatrième année. J'en avais retenu mon absence incurable de finesse et une espèce de rancœur pour ce prénom qui ne tenait pas ses promesses. Paule, en apprenant que Chantal m'avait tenu de tels propos, avait perdu toutes les couleurs de son visage puis saisi le téléphone afin de l'insulter vertement, en ajoutant au passage que son nom à elle «n'évoque que le genre de danseuse enfermée dans une cage à *Jeunesse d'aujourd'hui*».

L'émission n'existait plus depuis longtemps, mais Chantal avait sûrement compris que ma mère la traitait de danseuse pas de classe, et pour une femme qui s'enorgueillissait d'enseigner la danse moderne à des fillettes, c'était, hors de tout doute, une insulte. J'avais alors ressenti un mélange de honte et de fierté – nous n'en avions plus jamais reparlé, et je n'ai plus jamais demandé à suivre des cours de danse.

Mandy était notre entrée dans la vie anglophone de Montréal. Elle connaissait tout le monde à l'ouest d'Atwater, et savait aussi les noms des humoristes de *Saturday Night Live*. Elle aimait Buddy Holly et Patsy Cline et avait déjà fait du karaoké dans un bar à Nashville, Tennessee. Mandy nous appelait Sophie-l'intrépide et Tessa-la-tordue, avec son accent à la Jane Birkin. Elle brillait jusqu'au bout de ses cheveux platine, et Sophie et moi l'adorions. Il s'avérait inconcevable que je me présente devant Mandy et ses amis – sans doute aussi magiques qu'elle – attriquée comme une pauvresse ou, pire, comme une enfant sage. La penderie de ma mère n'était pas très garnie. Sa solitude et sa trentaine l'avaient fait épaissir, mais elle possédait quelques vestons intéressants, des coupes d'homme à motifs pied-de-poule qu'elle cousait à partir de patrons modifiés. Les filles dans *Singles*, elles, portaient bien ce genre de choses: robe fleurie avec veston d'homme et bottes de travailleur, et *Singles* était un bon film, non? Mandy m'avait-elle confirmé qu'elle l'avait aimé? Qui n'avait pas aimé *Singles*, sérieusement? Même Eddie Vedder jouait dedans. Et si j'ajoutais un petit chapeau de feutre bourgogne? Paule en avait un qui traînait dans la garde-robe de l'entrée, il ne marchait pas tout à fait avec mon look, il était rond et rappelait les années vingt, mais si j'enlevais la plume qu'elle y avait ajoutée, ça fonctionnait plutôt bien. Sophie m'attendait à l'entrée du métro Rosemont depuis quinze minutes lorsque j'ai fini par la rejoindre, avec ma robe et mes bottes, un veston sous le bras, mais sans chapeau parce que, franchement, n'est pas Bridget Fonda qui veut. En somme, j'étais une version à peine améliorée de ce que j'étais tous les autres jours de l'année. Elle m'a embrassée avec effusion en me répétant: «Ta robe est trop belle!» Sophie, elle, portait son uniforme habituel: jeans, savates et marinière. La voir en robe était un événement rare et bouleversant, mais, qu'importe sa tenue, elle avait la grâce d'une reine. *Quand tu l'as, tu l'as; Sophie, elle l'a,* je lui chantais toujours, sur l'air de la toune de France Gall. Elle me disait de me taire, et je ne l'écoutais pas.

Dès notre arrivée chez Hannah, il a été clair que nous avions affaire à une autre race de monde. Pourtant, les invités nous ressemblaient (quelques casquettes, beaucoup de Converse, deux ou trois vareuses usagées et un garçon à dreadlocks), la musique était la même que partout (à notre arrivée, *Groove Is in the Heart*; en fin de soirée, *No Woman, No Cry*), et l'alcool sentait comme celui de nos punchs trafiqués lors des danses de l'école. Sauf que tout ça avait lieu dans une immense maison aux planchers de marbre blanc. De grandes fenêtres couvraient tout un pan du mur du salon ou, en tout cas, celui auquel nous avions accès, et des portes françaises donnaient sur un jardin «du meilleur goût». Un escalier occupait une grande partie du hall d'entrée, et tourbillonnait jusqu'à l'étage des chambres. Celle de Hannah, où Mandy nous a conduites à notre arrivée, était aussi grande que le salon chez moi. Le lit: à baldaquin. Les affiches d'idoles: encadrées. Hannah elle-même ne révélait pas sa caste. Seuls certains détails laissaient paraître sa richesse, ses petites boucles d'oreilles en diamant et ses ongles manucurés avec soin. Il émanait d'elle un parfum subtil, quelque chose évoquant le citron et le romarin. Ça n'avait pas été acheté chez Jean Coutu certain. J'ai tenté de me rappeler si j'avais mis du désodorisant avant de partir, ma robe en tissu synthétique ne me ferait pas de cadeau. J'ai choisi d'attendre d'être seule aux toilettes («douche double vitrée et robinetterie dorée») pour vérifier l'état de mes aisselles. Hannah nous avait accueillies avec chaleur, bien que dans un français limité. Pas grave, le nombre insensé d'heures que je passais devant la télé américaine m'avait rendue douée pour l'anglais, et je sautais sur toutes les occasions de le prouver. *Nice room! Awesome outfit! This party rocks!* Savoir utiliser de vraies expressions, utilisées par le vrai monde – du moins, par les adolescents dans les sitcoms américaines – m'était primordial.

Hannah nous a offert un joint, Sophie l'a accepté gaiement. J'ai fait semblant de tirer dessus, ce qui m'a valu une bonne vingtaine de minutes d'autosurveillance, *mon cœur s'emballe, il me semble, est-ce que je sue, je suis étourdie, il fait chaud, ça va aller, je sue vraiment par contre, je vais enlever mes bottes, un peu de froid ça va m'aider, louons le Seigneur pour ces planchers de marbre froids, OK, non, c'est correct, t'as même pas inhalé de fumée, relaxe maudite épaisse,* je n'ai écouté la conversation que d'une oreille. Dans un cadre placé sur la table de chevet de Hannah, j'ai aperçu la photo d'une femme aux cheveux châtains, sous le soleil, les yeux rétrécis pour distinguer qui la prenait en photo, déjà ravie de comprendre qu'il s'agissait de sa fille bien-aimée.

Deux rousses roucoulantes, l'une grande, l'autre grosse, sont entrées et ont entraîné Hannah en bas. «*Jon C just showed up with Jon B, oh my God, Hannah, where's my gloss!*»

— C'est sa mère.

— Elle lui ressemble.

Mandy s'est penchée vers nous, obséquieuse.

— Elle est morte au printemps. *Ovarian cancer.*

J'ai reporté mon regard sur la table de chevet, sur cette femme sans cheveux gris, jeune malgré son costume de mère (robe fleurie de chez La Cache, chapeau de paille, bijoux d'artisanat), et j'ai ressenti le besoin impérieux de savoir quand la photo avait été prise. Savait-elle qu'elle était malade ce jour-là, ce qui l'attendait? Offrait-elle ce sourire à sa fille parce qu'elle le savait destiné à lui survivre? Hurlait-elle contre l'atrocité de cette mort, la bouche enfoncée dans son oreiller, le soir? Pensait-elle que cette mi-quarantaine d'années était un nombre d'années acceptable pour faire une existence? Avait-elle dit à Hannah, à la fin, pour la consoler, qu'elle avait connu une belle vie, riche, pleine, *suffisante*? Et si elle l'avait dit, comment pouvait-elle le penser? Les mères mentent peut-être sur leur lit de mort.

— Ça remonte à quand, la photo?

— Dunno. Viens, il y a une terrasse sur le toit.

Mandy est descendue du lit et nous a fait signe de la suivre. Sophie m'a attrapé le petit doigt avec le sien. *Sors de ta tête.*

Je n'ai pas dormi chez Sophie comme prévu, ce soir-là. À minuit et dix, j'ai prétexté le dernier métro à attraper et j'ai détalé. Sophie n'a pas insisté. Elle connaissait mes pulsions de solitude, je connaissais ses envies de fugue, et *ne rien empêcher* était la consigne qui résumait notre amitié.

À minuit quarante-huit, après une ballade de métro interminable, peuplée de soûlons et d'amateurs de hockey, j'ai ouvert la porte de la maison. Étienne n'était pas rentré. Il arrivait que nous ne nous croisions qu'une fois ou deux par semaine, cet été-là. Il irait bientôt au cégep, nous le verrions encore moins. C'était comme ça.

La porte de la chambre de Paule était ouverte. Sous l'épaisse couette qu'elle avait cousue et que, petite, je trouvais somptueuse avec son passepoil doré et ses grands pans de charmeuse en soie framboise, elle dormait. Sa masse immobile m'a rappelé ce livre pour enfants que j'avais feuilleté tant de fois, dans lequel un hibou se trouvait apeuré par la forme de ses propres pieds sous les couvertures. Son souffle était lent et fort, régulier et profond. Un petit ronflement venait parfois briser le rythme. Les minutes ont avancé sur le cadran posé près du lit.

Minuit cinquante. Elle était immense, et minuscule, et si seule, ma mère au fond du lit. Sur le seuil de sa porte traînaient de vieilles espadrilles tachetées de vert, de bleu, de jaune, qu'elle chaussait pour ses travaux de peinture. Une paire de chaussettes était bouchonnée à l'intérieur d'une des espadrilles. Elle avait commencé à peindre ce vieux banc d'église récupéré dans la grange d'un ami, voilà ce qu'elle avait fait aujourd'hui. J'ai pensé la réveiller, lui parler de la mère de Hannah, lui dire qu'il fallait qu'elle, elle vive toujours. Il n'y aurait jamais de moment où je serais prête à la laisser partir. Je lui promettrais de l'aider à peindre le banc dimanche. Nous pourrions aller manger une crème glacée après et, surtout, je lui dirais que personne n'était aussi fort qu'elle.

Je ne l'ai pas fait. C'était le milieu de la nuit et, de toute façon, cette famille n'en était pas une de sentimentaux.

cher matin

— Je peux pas te le garantir, mais je suis presque sûre que ça lui a fait plaisir.

— Elle est abjecte, on le sait depuis longtemps.

— Elle a littéralement dit: «Hon.» Comme dans *Hon... Pauvre petite.*

— Abjecte, je te dis.

— Elle a dit: «Hon... Je sais pas comment tu fais. Moi, je mourrais si j'avais pas d'enfants.»

— Pauvre conne.

— Elle voulait pas être méchante.

— Elle voulait sûrement pas être conne non plus, mais elle l'est quand même.

— Qui fait ça? Qui trouve que c'est la réaction appropriée devant une fille qui vient de faire une fausse-couche, câlisse?

— Je suis tellement désolée, mon amie.

— T'es fine.

— Avez-vous décidé de la suite des choses?

— Pas encore. J'ai jamais tripé sur les cliniques, tu le sais. J'ai peut-être attendu trop longtemps.

— Veux-tu que je te donne un des miens? Parce que c'est envisageable.

— Il s'ennuierait ben trop de toi.

— Qu'elle mange de la marde, la crisse de conne.

— Mets-en.

— Son livre est tellement mauvais, en plus.

— Tu l'as lu?

— Feuilleté au magasin. T'as jamais de ta vie lu quelque chose de plus complaisant et d'aussi gênant. Elle l'a qualifié de «romaman» en entrevue. Un romaman! Tu veux pas être elle.

— Je veux pas être elle.

— Tu veux pas avoir son chum non plus.

— Shit, non.

— «Monsieur Bandant»?

— Il la laisse vraiment écrire ça sur son blogue?

— C'est parce qu'il est super bandant. Not.

Le rire de Sophie.

— Sophie, plus quelqu'un parle de sa vie épanouie avec monsieur Bandant, plus c'est louche, tout le monde sait ça. Monsieur Inbandant. Monsieur Antibandant.

— Merci mon amie. C'est pas sa faute si elle a des enfants, elle.

— C'est entièrement sa faute. Le problème, c'est qu'elle pense que les enfants viennent par magie à celles qui le méritent vraiment. Mais elle est juste vulgaire, et hyperactive des ovaires, comme moi.

— T'es pas une vulgaire hyperactive des ovaires.

— Rien n'est moins sûr.

— T'es conne.

— T'as le temps de dîner?

— Non, j'ai trois cents choses à faire.

— On y va quand même ?
— Mets-en.

Ils sont partis tôt, tous les quatre. Ils sont partis à la hâte, pour permettre à Philémon de terminer en vitesse le devoir de mathématiques oublié dans son casier. Sa distraction lui a valu mon courroux maternel, et un biscuit de plus dans son lunch, à cause de la culpabilité suivant le courroux maternel. Boris et Oscar, debout depuis six heures, ont suivi gaiement leur père. Ces deux-là ne connaissent pas la morosité du matin, une qualité qu'ils doivent à Jim, qui aime autant ses fils que sa vie et sa femme, c'est-à-dire avec aplomb et une furieuse détermination.

Ce moment où la porte se referme et où ils sont tous partis m'est habituellement précieux. C'est comme si on avait agité un linge à vaisselle sous un détecteur de fumée et qu'après le chaos et le mouvement, l'alarme s'arrêtait net. On reste seul dans le silence, les cheveux ébouriffés. Aujourd'hui, le calme ambiant me semble en décalage, presque scandaleux. Mon temps m'appartient pour quelques heures avant que j'aille manger avec Sophie, puis je ferai visiter à un couple dans la quarantaine une maison de L'Île-Bizard, j'irai chercher les enfants à l'école, et nous remplirons le vestibule exigu de nos souliers et de nos vestes de printemps. Je suis seule, et ce qui constitue d'ordinaire un luxe, et un plaisir bien mérité (du moins, c'est ce que disent toutes les publicités de yogourt et de barres chocolatées), est maintenant chargé de prémonitions. Ressemblera-t-elle à ça, ma vie, après? Une fois que j'aurai démoli le monde, continuerai-je de me réveiller dans cette douce indifférence?

Le printemps montréalais, exubérant et sans ambiguïté, est cruel pour les tristes. Tout le monde bande au printemps à Montréal, nous sommes ce troupeau qui retourne au champ après l'hiver. Durant notre repli saisonnier, nos abris étanches ne laissent passer que les virus grippaux. À la libération, tout éclate et coule, nous devenons gorgés de sève et d'espoirs, et chacun sait bien que l'espérance n'est jamais aussi déchirante que pour les tristes. Ceux qui s'aventurent au-dehors risquent une déception encore plus grande; ceux qui s'y refusent se prennent la litanie des joyeux dans la gueule: *Mais si t'essayais, un peu? Sors, les terrasses sont ouvertes!* Alors la plupart des tristes, au printemps, à Montréal, se taisent et hochent la tête comme des figurines de voiture, ces Bobbleheads qui nous narguent dans les bouchons de circulation. Il n'est pas de disposition plus triste que d'être triste quand personne d'autre ne l'est.

En cherchant la terrasse où Sophie m'a donné rendez-vous, je vois bien que, parmi les dîneurs attablés – ceux qui rient et parlent gras et chuchotent et caquettent –, il y a plein de tristes. Cet homme qui, à peine assis, commande une bière. Cette femme dont l'attention passe de l'une à l'autre de ses collègues, les lèvres serrées. Ce garçon en skateboard, un modèle étiré de Philémon, qui ne lève pas les yeux du sol et répète à l'infini les mêmes tentatives de tricks. Sophie, assise à l'ombre dans un coin discret de la terrasse, la joue déposée sur son poing refermé, en train de se repasser en boucle les mêmes questions: *Auras-tu des enfants? Et si tu n'en as pas?* Non, pour Sophie, nul besoin de s'interroger.

— Il fait beau. J'haïs ça.

Sophie m'entend et relève la tête en souriant. Quelque part entre la lointaine époque où nous regardions les garçons jouer au basketball dans la cour d'école et aujourd'hui, elle m'a vue devenir sombre. Je dirais *lucide* parce que c'est le terme juste et que l'un n'exclut pas l'autre, mais les gens n'aiment pas croire que leur vie ne remplira pas les promesses faites au berceau ou autour du feu, quand ils brillaient comme seuls les adolescents peuvent le faire, quand ils avaient la certitude inébranlable que *tout irait bien*. J'ai été comme eux.

Sophie, elle, ne vieillit pas. Elle travaille, parle, rit, dort beaucoup, voyage parfois. Mais elle ne vieillit pas. On pourrait penser que c'est parce qu'elle porte le même uniforme depuis vingt ans, sa combinaison de souliers de course et de marinière, sa grâce discrète de fille d'Européens, son carré de cheveux noirs – mais ce n'est pas ça. Si Sophie ne vieillit pas, c'est qu'elle ne sait pas comment. Ça ne l'empêche pas d'être de mauvaise humeur, des fois.

— C'est vrai qu'il fait beau.

Le constat s'impose, autant pour elle que pour moi.

— Et c'est vrai que j'haïs ça.

Quand on en parle, les choses deviennent réelles, et révèlent leur ridicule. Est-ce armée de cette logique implacable que je choisis de ne rien dire à Sophie ? Cent minutes passent à la terrasse du restaurant, et aucune d'entre elles n'est consacrée à parler de Francis. Nous commandons, nous mangeons, nous rions encore un peu de Madame Romaman, avec qui Sophie a travaillé comme journaliste il y a quelques années, de son succès de petite vedette littéraire et de son livre débile où elle relate ses péripéties de mère comblée de quatre enfants (un garçon, des jumelles, un autre garçon). Sophie est trop délicate pour la mépriser ouvertement, alors je prends le relais avec un plaisir non dissimulé. Bien sûr, mon hostilité est laide et suinte l'amertume, mais je suis avec Sophie, avec elle, nulle retenue.

Alors pourquoi ne rien dire sur Francis ?

Sophie sait tout de cet homme, du regret que j'ai eu de lui et qui pèse sur ma vie. Elle sait les années passées à le chercher partout, dans les chansons, les films, et les milliers de pas parcourus sur les trottoirs de ma ville. Elle sait que Jim ne connaît à peu près rien de cette histoire, tant même évoquer son nom, les premières années, m'était douloureux. Elle sait tout. Ce que j'ai dit sur moi, ce que je n'ai pas dit. Elle sait ce qui n'a pas guéri.

Alors. Pourquoi ne pas parler de Francis?

Peut-être parce que je devine que, malgré l'amitié qu'elle me porte et des années de confidences, ou précisément à cause d'elles, elle n'y croirait pas. Ni à la solidité de Francis ni à ma détermination. Le léger voile que la désapprobation jetterait sur ses grands yeux bleus ne serait que le reflet de la mienne. Cela me serait insupportable, parce qu'il me faut coûte que coûte quelque chose pour faire taire la douleur dont je suis ivre depuis des années. Francis n'est-il pas revenu pour me dégriser? Comment, sachant cela, m'en priver?

Demain il fera beau. Une quatrième journée de ciel dégagé. Je pourrais sortir mes ballerines dorées, achetées sur Internet dans un élan d'insouciance, l'été dernier, je ne les ai portées que trois fois parce que la vue de mes pieds de madame dans des chaussures de jeune fille me rendait malade. J'ai remisé les ballerines au fond de l'armoire, avec les maillots de bain. Mais demain ne sera pas ordinaire. Les circonstances appellent des souliers dorés et une robe neuve, car s'il est un jour pour défier les conventions, c'est bien celui où l'on retrouve l'Homme-qui-a-tout-changé-et-nous-a-révélée-à-nous-même. Une femme en pleine passion amoureuse n'est plus tenue de se plier aux règlements de son âge ou de sa situation, right? Elle devient Charlotte Gainsbourg dans les rues de Paris, Patti Smith en session d'enregistrement, et Emily Brontë qui se fait sa propre éducation. Elle est libre.

Sur Villeray, en revenant de manger avec Sophie, il y a cette robe dans la vitrine d'une boutique. Bleu Klein, tachetée d'étoiles grises, si petites qu'on dirait des grains de sable. J'entre, je la prends, je ne l'essaie pas. Elle devrait me faire, elle me fera, je l'achète.

La vendeuse l'enveloppe dans du papier de soie, je lui dis presque *non, pas besoin, je la mets demain de toute manière.* Mais je la laisse faire. Ce sera doux de la déballer, ce soir, et de la suspendre dans la penderie, discrètement, entre deux chemises d'agente d'immeuble.

Quand je mets le pied dehors, mon petit sac de papier noir à la main, je suis deux filles en t-shirt, leurs cuisses rondes moulées de leggings, elles rigolent en chantonnant un succès pop du moment, sautillantes et légères, même la plus dodue des deux. *N'ont-elles pas de cours?* – c'est ce que je me demanderais normalement, mais aujourd'hui je ne suis pas leur mère, je suis leur liberté et leur confiance. Je suis leurs yeux gavés d'avenir.

Cela arrive de plus en plus rarement.

L'une murmure quelque chose à l'oreille de l'autre, et toutes deux éclatent d'un rire gêné et triomphant. Elles parlent de choses sacrées et sales, elles sont merveilleuses, et je souris tellement que les larmes montent.

Et puis le téléphone sonne. Les filles tournent la tête, me voient les regarder, et s'éloignent rapidement. Je leur ai donné froid dans le dos, avec mon insistance. *Un adulte vous observe avec un air étrange: fuyez. (Oui, ça peut être une dame.)*

Le téléphone n'arrête pas de sonner. Il faut fouiller, le trouver au fond du sac, répondre.

— T'as deux minutes?

— Je. Oui. Comment ça va, Évelyne?

— Oh...

— Évelyne...

— Je devrais pas, on se connaît pas.

— Non, c'est vrai. C'est bien vrai.

— Mais je vais le dire quand même.

— Bien sûr.

— J'ai couché avec quelqu'un à Toronto.

— ...

— Tu me trouves dépravée?

— ...

— Tessa?

— T'as couché avec quelqu'un à Toronto?

— Un collègue, je le trouvais mignon, on se croisait dans les colloques, mais jamais j'ai pensé... On a baisé toute la nuit.

— C'est. C'est merveilleux, Évelyne.

— C'est pas tout.

— ... Non?

— Non. Il vient à Montréal en fin de semaine. Il veut qu'on se revoie.

— Oh. Là, est-ce que c'est tout?

— Quoi?

— Est-ce que c'est tout ce que tu voulais me dire? Pas d'autre annonce?

— Je. Non, pourquoi?

— Rien. C'est parfait. Il veut te revoir.

— Je devrais?

— Tu devrais faire ce qui te tente.

— Il a embrassé tous mes derniers recoins. Il m'a répété dix fois si c'est pas cent que j'étais magnifique. Il a voulu recommencer après vingt minutes. Et aussi, le lendemain matin. Il m'a envoyé des textos toute la journée. Rien de lourd, là. Des blagues, des trucs codés. Il a dit: «Il est fou celui qui te laisse partir.» Qu'est-ce que tu penses qui me tente?

— Alors fais-le. Fais-le. Qui t'empêcherait de le faire?

— Personne. Surtout pas Francis.

Un coup, une absence. Rafale d'extrasystoles. *C'est normal qu'elle le nomme.*

— Non. T'as raison.

— Au fait, il m'a dit que vous vous étiez vus.

— Quoi?

— Francis m'a appris qu'il t'avait accueillie, à la maison.

— Il t'a dit ça.

— Oui. Il a trouvé que t'avais l'air compétente.

— Ha!

— Quoi? Tu penses que c'est condescendant? C'est un peu condescendant. Francis est très paternaliste. Robert dit que – Robert, c'est mon... Je suppose que c'est mon amant ? Robert dit que le paternalisme, c'est l'arme des faibles.

— ...

— Je parle trop de lui. C'est malsain.

— Pas du tout.

— Je devrais peut-être tout arrêter. S'il se lasse. L'humiliation. Je pourrai pas.

— Oui.

— Oui ?

— Non, je voulais dire : oui, je comprends. Pas oui, tu devrais arrêter.

— Mais j'ai raison d'avoir peur ?

— Évelyne, pour la maison. Je vais peut-être avoir un problème.

— Ah ?

— Oui. Une guéguerre administrative au bureau. On nous demande de faire équipe.

— Mais qu'est-ce que ça change ?

— C'est juste que ma coéquipière considère Ahuntsic comme son territoire. Elle veut s'occuper de vous.

— Non !

Non, en effet. Guylaine, au bureau, sera ravie de partager une pancarte avec moi, mais personne ne m'y oblige. C'est tout ce que je trouve, sur le coup, pour m'éloigner d'Évelyne.

— Je veux pas quelqu'un d'autre !

— Je suis désolée. C'est elle qui va faire la majorité des visites. Je te promets que ça changera rien pour votre maison.

— Je sais. Je suis ridicule. C'est juste que j'avais pensé qu'on aurait pu être amies.

Au début, avec Jim, on fumait des cigarettes. Il aimait celle du matin, que nous fumions avec le café dans la minuscule cuisine de notre appartement. L'air s'épaississait de fumée, il fallait ouvrir la porte aux mille couches du même gris, craquelée, crochue, dont les carreaux étaient si vieux que la vitre passait pour givrée. Le soleil qui réussissait à filtrer faisait danser les volutes de la poussière, et j'ignore pourquoi le souvenir de toute cette saleté m'est si cher, mais c'est comme ça. Moi, j'ai toujours préféré fumer la nuit, quand la seule lumière perceptible est celle du bout de la clope sur laquelle on tire, qui s'éclaire puis s'éteint, comme un torse qui retombe après l'inspiration.

Après la naissance de Philémon, les cigarettes partagées se sont espacées. Jim a commencé à trouver qu'il ne soufflait plus aussi bien qu'avant dans son instrument, alors il a cessé complètement. J'ai bientôt suivi, parce qu'avec la naissance de Boris, puis celle d'Oscar, cette mascarade devenait risible. Qui est cette vieille mère qui fume, assise en tailleur dans sa cour jonchée de jouets? Pas moi. Plus moi.

Mais je n'ai jamais perdu l'habitude de sortir dans la cour quand le temps est bon, une fois que les garçons sont couchés. Ce soir, le temps est bon, et de toute manière personne n'aime se momifier. Rester à l'intérieur, assise à côté de Jim devant le téléviseur, à regarder des personnages fictifs vivre des drames affreux et à nous rappeler notre chance, *notre chance à nous, hein, chérie?* m'est impossible. Je n'ai pas de cigarette, mais j'ai ouvert une bouteille de blanc, c'est jeudi, et j'ai traîné mon verre avec moi.

— Les étoiles vont sortir.

Derrière la clôture de bois, mon voisin me pointe le ciel. J'oublie qu'avec les oiseaux et les bourgeons, les voisins aussi sortent au printemps.

— Bonsoir, Roland.

— Là, il fait trop clair encore, mais vers onze heures, minuit, elles vont sortir.

— Vous dites ça, mais en ville on les voit pas.

— Avec mon télescope, on les voit.

Roland remet l'œil dans la lentille, le dos légèrement courbé. Il ne tarde pas à se plaindre de l'inconfort de la position, mais il ne bouge pas.

— Voulez-vous que j'ajuste la hauteur?

— Hein?

— Votre télescope. Il est trop bas pour vous, Roland.

— Je l'aime de même.

— Mais vous avez mal, je vous entends.

— Il est parfait comme il est. C'est la hauteur de Rosa.

Rosa, la femme de Roland, n'a pas survécu à l'hiver. Elle est morte au jour de l'An, juste après la visite de leur petit-fils Nathan, qui étudie au Collège militaire.

Personne ne pensait qu'elle survivrait jusqu'au printemps. Elle soufflait comme un train et n'allait nulle part sans sa bonbonne à oxygène. C'est Roland qui la lui roulait jusque dans la cour, les beaux soirs d'été, pour qu'elle admire la Grande Ourse. *Trois paquets de Player's par jour pendant quarante-sept ans,* a-t-il martelé quand elle est morte, non sans une certaine fierté. Sa Rosa n'avait jamais fléchi devant rien.

— Les enfants pensent que je devrais vendre. Ils disent que je suis assis sur une mine d'or.

— Vous iriez chercher six cent mille, peut-être six cent cinquante.

— On l'avait payée quarante-deux mille, en 1974. Pauvres jeunes.

Il secoue la tête et se masse le cou, sans insister, mais quand même : il a mal partout, depuis qu'elle est partie.

Lorsque je refais glisser la porte-fenêtre de la cuisine, la maison est plongée dans le silence. Les ampoules de la hotte produisent un faible rond de lumière. Tout est si familier. Les tuiles métro que je me félicite encore d'avoir choisies, malgré le coulis qui s'effrite. Les étagères ouvertes, une belle idée volée à toutes les revues de décoration datant d'il y a six ans, dans les faits désastreuse: casseroles, moules à gâteaux, tamis, couvercles, rouleaux à pâte s'y empoussièrent négligemment – j'ai depuis longtemps cessé de faire de jolies piles classées par couleurs. Sur le plancher de *jatobá*, acheté au rabais et posé par Jim un dimanche d'ambition (le résultat a de la gueule, mais les fentes sont trop lâches, ce ne sera jamais un travail «professionnel»), les miettes de pain, de galettes de riz, de parmesan s'accumulent à l'infini, malgré les coups de balai. L'évier vide brille. Les murs, victimes de mon obsession d'il y a trois ans pour le gris, prennent la couleur d'un nuage de pluie. Je l'aime encore. Mais la couleur bave par endroits sur les moulures blanches, il faudrait les repeindre. J'en profiterais alors pour boucher les trous laissés par les clous de finition, le doigt souillé de latex.

Ce sont des tâches qui me plaisent, répétitives et satis-
faisantes, gage de résultats.

La salle à manger baigne dans le noir. La table
n'est jamais tout à fait désencombrée. Il y traîne deux
minitests de science et de géographie que Philémon
doit nous faire signer. Il a dû les oublier là à la fin de ses
devoirs. Je ne trouve pas de crayon, il faudra y repenser
demain matin. J'examine l'écriture délibérée et maladroite de mon Philémon, ses notes étincelantes, depuis
toujours. Boris n'a pas la même chance, mais sa calli-
graphie est magnifique.

Cette pièce, en fin de soirée, devient austère, comme
détachée du reste de la maison. Le vaisselier encastré,
aussi âgé que les murs de plâtre, a encore ses vitraux et
ses poignées de porcelaine. Jim a souvent proposé de
repeindre le chêne du meuble en blanc pour éclaircir la
pièce, et j'ai presque dit oui. Je ne suis pas une puriste
du naturel, je le dis souvent aux clients, de tout temps
on a peint des moulures, on ne laisse pas passer une
maison pour une si mauvaise raison. Pourtant, dans ma
salle à manger, je ne m'y suis jamais résolue.

Il m'arrive de venir m'y asseoir pour réparer les
boutons décousus, les genoux déchirés, les toutous
éventrés. Nous n'avons pas de foyer, mais je me la joue
victorienne quand même, et je trouve l'obscurité étran-
gement amicale. Cette noirceur ne craint pas la mienne.

Oscar a abandonné ses vêtements sur le plancher de
la salle de bain. Ses pantalons et petites chaussettes,
versions minuscules de l'habit d'homme, sont roulés
en boule sur le tapis. Le bateau de pirate et les lunettes

de plongée traînent, comme toujours. Il y a bien une armoire pour ranger les jouets, et on trouve un panier à lessive dans le coin, près du lavabo. Mais la vie, ici, déborde, plus encore que dans les autres pièces. Je n'ai pas de leçon à donner, d'ailleurs. Mes crèmes, vernis à ongles achetés dans l'espoir idiot de me transformer l'âme, épaissis et inutilisables, les brosses à cheveux qui, à l'achat, promettaient de *changer ma vie*, gisent en fouillis sur le comptoir. Je me contente de mettre les vêtements au panier.

Le salon, depuis nos premiers jours, compose le cœur de cette maison. Depuis, nous en avons retiré les colonnes, caractéristiques d'une construction des années vingt, puis les portes et un long pan de mur, juste avant la naissance de Boris. Nous avons baptisé cette période: «la rénovation épique de 2006». Une fois le salon éventré, nous avons creusé le sous-sol pour accueillir les filets de hockey et la table de ping-pong qu'un avenir avec de jeunes garçons nous réservait. *Une plus-value assurée, ça*, me répétait Sylvain au bureau, convaincu jusqu'à l'obsession que le paradis tenait à une hauteur de plafond de huit pieds et à des électroménagers en acier inoxydable. Notre sous-sol, comme prévu, est jonché de babioles abandonnées, de robots en boîtes de carton recouvertes de papier d'aluminium, et de toutes les tailles de vêtements d'enfant, de zéro à onze ans, entassés dans des bacs à l'ordre plus ou moins cohérent. Je me demande, chaque fois que je descends faire une brassée, pourquoi je m'entête à conserver le moindre morceau. Boris, plus costaud que son grand frère, porte pratiquement la même taille que lui, malgré leurs deux ans d'écart. Oscar pourrait profiter des vêtements des grands, mais lorsqu'ils parviennent jusqu'à lui, ils sont déchirés et salis, j'en récupérerai très peu. Personne n'utilisera plus les vêtements contenus dans les bacs «zéro à trois ans» et «trois à cinq ans». Ne seraient-ils pas plus utiles sur le dos d'enfants défavorisés, quelque part à l'est de chez moi, plutôt qu'à nourrir la nostalgie rageuse qui m'habite? Je saurai peut-être les donner, après. Lorsque la tempête passera, les conversations difficiles et le branle-bas de combat; une fois Jim et moi vaincus et vidés, il sera facile de donner les bacs de vêtements. *J'ai confiance*, je pense tout à coup en éteignant la lumière du sous-sol, les garçons l'oublient chaque fois, puis une chanson me revient, celle de la petite Annie dans la comédie musicale des années soixante-dix, Oscar l'a vue en boucle pendant les vacances de Noël. *Cher matin, cher matin, j'ai confiance, cher matin, car tu seras là demain.* Partir n'est pas difficile, pas quand on a une destination. On quitte continuellement quelque chose, ou quelqu'un. Combien de clients ai-je vus se torturer au moment de vendre la maison dans laquelle leurs enfants étaient nés, pour se jeter avec avidité sur la première offre alléchante? J'ai tant de fois reconduit Jim à l'aéroport avant une tournée, le regardant s'éloigner de nous d'un pas léger, un pas d'adolescent gavé de sa propre liberté. Pourquoi ne saurais-je pas, moi aussi, m'éloigner avec aisance de tout ce qui m'est familier, de ce qui m'appartient et porte mes traces?

N'y ai-je pas droit, à ce *cher matin*? J'appellerais bien mon frère pour lui demander son avis, il rirait et tirerait sur sa cigarette en chantant, *It's the end of the world as we know it, and I feel fine.* Il serait le hippie qui ne juge pas, comme toujours. Mais je n'appellerai pas Étienne. Étienne est mort depuis plus de quinze ans maintenant.

2004

Le plus étonnant, c'était la netteté avec laquelle je percevais les sons. Seuls les couinements du bébé interrompaient le silence heureux de l'appartement. Quand il dormait, infiniment lourd dans mes bras malgré son poids plume, je pouvais entendre monter le grondement du frigo à l'autre extrémité de la cuisine, et bruisser la page que tournait ma mère, assise au salon, occupée à lire un polar suédois en attendant mes instructions: changer le bébé, prendre le bébé, bercer le bébé, préparer à manger. «Faites comme si j'étais pas là, sauf si vous avez besoin d'aide.» Elle se trouvait en vacances – un beau hasard – quand Philémon est né, et elle avait tout son temps. Elle s'était mise à notre disposition sans condition, depuis la seconde où Philémon avait poussé son premier cri de mini-géant, un soir de juillet, dans un hôpital de l'est de la ville. En chemin, juste avant minuit, la radio avait annoncé la mort de Reggiani. Jim avait choisi d'y voir un bon présage: ce fils serait musicien lui aussi. Ma mère avait plaidé: «Appelez-le pas Serge, promis? La vie est déjà bien assez remplie de malheurs.» Je n'avais pas besoin de lui demander de quoi elle parlait. Depuis quatre ans, les malheurs de nos vies réunies ne tournaient plus qu'autour du même soleil noir. Étienne avait disparu un matin de mai au pied d'une falaise escarpée d'Écosse, pendant un voyage avec des amis, une sorte de dernière grande fête avant qu'ils se dispersent dans la vie adulte, qui avec un diplôme en enseignement des sciences, qui avec un diplôme en design industriel, qui, comme Étienne, avec un diplôme pas tout à fait complété en cinéma, «mais neuf crédits c'est rien, à Noël je l'ai». Ses copains étaient rentrés avec des gueules d'horreur, le sac à dos de leur compagnon absent entre les mains. Ils l'ont rendu à mes parents, telle une relique. Le corps, lui, avait pris plus de dix jours à être rapatrié. Une éternité.

Ils s'étaient montrés généreux, les amis d'Étienne. Mes parents ont dû leur demander de raconter les derniers jours, ses dernières heures, jusqu'à plus soif. Ils s'y étaient prêtés chaque fois comme si c'était la seule, embellissant leurs dires çà et là pour donner chair aux détails, faire du bien, qu'Étienne vive un peu plus longtemps, même si ce ne devait être qu'à travers la fiction.

« "Rowardennan, c'est la plus belle place que j'ai vue de toute ma vie", il a dit ça quand on est arrivés. Notre auberge de jeunesse était tellement belle, une vieille maison en pierre, quasiment un manoir, elle avait même une tourelle. Je vais vous montrer les photos quand elles seront développées. De notre chambre on voyait le Loch Lomond, et une montagne au loin. C'était trop parfait, on a décidé de rester. Il y avait une gang d'Italiennes, des filles vraiment drôles. Étienne avait un œil sur une des quatre, Valeria, une grande aux cheveux frisés. Ils ont

passé les trois soirs au bord du feu, dehors, à se raconter des histoires pis à boire de la bière. La dernière nuit,
ils sont restés dehors jusqu'au matin. Étienne nous
a rejoints au déjeuner, un sourire gros comme la lune.
Valeria lui avait donné son adresse, elle avait dit qu'on
pouvait aller la voir quand on irait en Italie. Elle était
tombée amoureuse de lui, de même, en une nuit. Mais
ça, ça m'étonne pas. Étienne a toujours eu cet effet-là
sur les filles. Ça nous faisait chier. C'est le matin d'après
qu'on s'est mis en route vers le West Highland Way,
j'avais lu dans mon guide que c'était ben beau, le Devil's
Staircase, un sentier escarpé mais pas trop dangereux
si on s'en éloignait pas. On avait le plan de se rendre en
Italie, après. On voulait voir l'Écosse, l'Irlande, Londres,
Paris, Marseille, l'Italie, la Grèce. Ah, Étienne voulait
aussi aller dans les Cyclades. Finalement, on a juste
vu l'aéroport d'Amsterdam, l'aéroport de Glasgow, les
pubs de Glasgow, les chars qui se conduisent à gauche
entre les lochs, le village de Rowardennan, pis la montagne du diable. Fred, il arrêtait pas de le répéter, quand
on est sortis de l'hôpital, il braillait comme un veau:
"Si au moins c'était arrivé à la fin du voyage. Étienne
aurait pu connaître d'autres pays." Mais l'affaire, c'est
qu'Étienne, il était vraiment content de son voyage. Il
l'a dit, à Rowardennan: "C'est la plus belle place que j'ai
vue de toute ma vie. On peut mourir, les gars." Après,
il a ri pis il s'est débouché une autre bière. Il disait ça
de même, sans arrière-pensée. N'empêche, quand on
revoit la scène, ça nous scie les jambes.»

Mes parents écoutaient l'histoire de Christophe
jusqu'au bout, hochaient la tête, fermaient les yeux par

endroits, l'interrompaient aux mêmes passages pour poser les mêmes questions. Ma mère: «L'avez-vous prise en photo, Valeria? J'aimerais ça la voir.» Mon père: «C'était de la Guinness qu'il buvait? Il aimait ça, la bière foncée, hein?» Paule et Yves, rassemblés dans la même pièce, ne constituaient qu'un des tableaux surréels auxquels j'assisterais dans les jours suivant la mort de mon frère. La présence de mon père, en vêtements de sport décontractés, assis dans le vieux fauteuil rembourré de Paule, celui où je l'avais vue passer des soirées à lire et à coudre, à regarder la télévision et à parler au téléphone, me semblait à la fois improbable et naturelle. Voilà ce qui arrive dans la mort; l'inconnu devient si brutalement familier que plus rien ne nous choque. Il y a une détente – une détente atroce, évidemment – dans cet état d'apesanteur, qui confère aux endeuillés une sorte de puissance jusquelà insoupçonnée.

Je me surprenais à penser, plusieurs fois par jour, *Ceci ferait une bonne histoire à raconter à Francis. Cela ferait rire Francis. Francis serait touché de me voir pleurer.* J'avais voulu lui téléphoner, malgré les huit mois de silence entre nous, je m'étais persuadée, *Voyons, s'il y a une bonne raison pour l'appeler, c'est bien celle-ci.* Mais son numéro n'était plus le même, et il n'apparaissait pas dans l'annuaire téléphonique. Entre notre rupture et la mort d'Étienne, nous avions changé de siècle, mais rien d'autre n'avait changé. Francis avait disparu lui aussi, et son absence ne servait, même dans le vertige du deuil, qu'à me rappeler cela: je ne pensais qu'à lui.

Le matin des funérailles, les amis d'Étienne s'étaient empressés de transformer les photos de Christophe en collage, exposé sur le chevalet qui voisinait son cercueil, au salon funéraire. J'avais cru que ce geste serait de trop. Mes parents avaient beau tenir à voir ces photos, le moment était mal choisi pour leur imposer les dernières images de leur fils; il y avait là une indécence, de l'exhibitionnisme. Cette mort ne leur appartenait-elle pas en propre? N'en étaient-ils pas les héritiers légitimes? Ne jalousaient-ils pas ces garçons-hommes, avec leurs cheveux gras (sauf aux funérailles! quel spectacle que toutes ces têtes que je connaissais si crasseuses mais qui ce jour-là reluisaient, gorgées du soleil qui entrait par le vitrail de l'église, tous ces gars en larmes à qui on avait redonné un semblant d'enfance en l'espace d'un shampoing, je m'en étais amusée avec Sophie, discrètement, au buffet), ne leur volaient-ils pas leurs derniers moments avec Étienne? Cet homme, qui avait voulu donner la vie à cet enfant, cette femme, qui l'avait porté et nourri, ces parents qui l'avaient vu grandir, en avaient épongé les humeurs et les vomissements, subi les devoirs et l'apathie de l'adolescence, ils avaient été privés des derniers jours de bonheur de leur fils, *la plus belle place que j'ai vue de ma vie*, et n'avaient reçu de lui, dix jours avant sa mort, qu'un au revoir bâclé, une accolade arrachée à la hâte à l'aéroport de Montréal, au milieu des agents de circulation leur ordonnant de *circuler, s'il vous plaît, on ne peut pas se garer dans l'allée des départs*, cet homme et cette femme ne pouvaient pas se contenter d'adieux partagés.

Mais non. Yves et Paule étaient ravis des photos, ravis que les amis d'Étienne soient présents, émus comme eux par la trace qu'il avait laissée dans le monde. Mes parents préféraient morceler Étienne (avec ses amis, avec cette Italienne, avec la tenancière de l'auberge de jeunesse, s'il fallait en venir là) que de le posséder. Dans le deuil, ils avaient perdu jusqu'à la notion d'ego, ils étaient tout entiers immergés dans un amour pur, débarrassés des aspérités des vivants. Il me faudrait beaucoup de temps, jusqu'à la naissance de Philémon sans doute, pour saisir ne serait-ce que furtivement de quoi était fait cet amour. À l'opposé d'eux, j'ai vécu ces années entièrement occupée à me regarder, et à mesurer sur moi les effets de l'existence – la criante absence d'Étienne, égalée seulement par celle de Francis, puis atténuée par la venue de Jim, et la naissance de Philémon. Quatre longues années dans le douloureux vortex de l'égotisme le plus absolu. Et encore. Il serait doux de penser que, lorsque Philémon a fait son entrée dans le monde en 2004, j'ai été guérie de ma vigilance, de cette passion débile de l'introspection – mais je l'ai cru quelque temps. J'ai perdu cette obsession, certes, et la vie de Philémon m'est devenue infiniment plus importante, plus essentielle que la mienne, ce qui a constitué un soulagement immense. Mais il me suffisait d'observer ma mère avec le bébé, ses gestes répétés, légers, cette merveilleuse disparition des attentes (*Il existe, je l'ai vu arriver, quel privilège, Tessa*), pour comprendre que j'étais loin, très loin encore du détachement. Je n'étais qu'amour, et je n'étais que tourmente.

Notre appartement occupait la moitié nord du deuxième étage d'un quintuplex au cœur du trafic de la rue Saint-Denis, dans ce Plateau qui était celui de tous mes amis et qui respirait encore le métissage des classes étudiante, ouvrière et bourgeoise. Il ressemblait aux appartements que nous fréquentions: moulures usées et vingt fois repeintes, planchers de lattes d'érable minces, gondolées par le temps et le sol argileux, pièces en enfilade, et beaucoup d'espace alloué aux couloirs. Avant Philémon, je ne leur portais jamais attention. Mais j'ai passé tant d'heures à arpenter les nôtres durant les premières semaines de sa vie que j'ai fini par les connaître comme les grains de beauté sur mes bras. Ici, l'ancienne prise du téléphone, inactive. Là, les appliques murales d'origine, sur lesquelles j'avais installé de minuscules abat-jour trouvés dans un magasin à grande surface, que j'avais ornés de ruban brodé de billes orange, dans un effort de décoration, un effort de quelque chose qui ne soit pas manger ou dormir, pendant les longues semaines où je n'avais rien d'autre à faire qu'attendre Philémon. Plus loin, les boîtes de disques de Jim, ces centaines de vinyles qui, un jour, auraient leur meuble de rangement. Il projetait d'en construire un dès que nous aurions les sous pour du beau bois. En attendant, les disques vivaient dans des caisses de lait vertes et occupaient la moitié de la portion du couloir qui menait à la salle de bain. J'en connaissais les contours par cœur et je ne m'y cognais jamais.

Avec Philémon, les nuits étaient pareilles et sans cesse renouvelées. Son premier cri me tirait du sommeil léger, humide, qui était désormais le mien, et je m'assoyais sur le bord du lit, le temps de redevenir verticale. Au début, Jim me suivait jusqu'au moïse, m'apportait verres d'eau et télécommande, et restait près de moi pendant que j'allaitais. Bientôt, je n'ai plus cherché à le réveiller. À quoi bon ? Philémon et moi avions nos habitudes.

J'allais le cueillir dans son berceau, m'arrêtait un moment pour sentir son poids sur mon épaule, puis je l'emmenais au salon. J'aurais pu rester au lit pour l'allaiter. J'aurais dû, selon les publications dégoulinantes de miel que l'on nous avait distribuées à la sortie de l'hôpital. Mais je préférais le salon. Là, Philémon et moi pouvions vaquer à nos occupations vitales : boire, pour lui, et regarder des reprises d'émissions de rénovation, pour moi. Dans cette solitude bénie, nulle interférence. Nulle culpabilité non plus. Personne ne me reprocherait de ne rien faire de plus important. Personne ne laisserait entendre, sous les dehors de questions innocentes, qu'avoir un bébé, ce n'était pas un choix de carrière. *Tu y retournes quand, finir ton bac ? Il y a des garderies à l'université, tu sais.* Non, dans notre espace, il n'y avait que deux personnes parfaitement accordées, et une odeur de petit-lait.

Je n'étais qu'amour, et je n'étais que tourmente. C'était ainsi depuis la mort d'Étienne. Peut-être depuis le départ de Francis. Ou depuis toujours.

Au début, j'ai cru que la douleur ferait de moi une meilleure chanteuse. N'avais-je pas choisi le *Lamento d'Arianna* comme pièce pour mon audition au baccalauréat en musique? *Lasciatemi morire*, que je miaulais avec emphase. Et ça avait marché, ils m'avaient prise. Maintenant que je connaissais intimement le désespoir, je deviendrais la plus sensible interprète de Monteverdi que la terre ait portée depuis Ane Sofie von Otter. C'était sans compter les crises d'angoisse que je me taperais chaque fois que je monterais sur scène durant ma troisième année de bac, en chœur ou en solo, que le répertoire fût un vulgaire cantique de Noël destiné aux enfants malades ou l'aria de Purcell qui scellerait ma note finale.

Le *Lamento de Didon*, dans *Didon et Enée*, trônait au sommet des pièces que je rêvais de chanter depuis mon entrée en musique. Elle ne comportait pas de grands défis techniques, mais commandait une interprétation sans faille, bouleversante, entièrement maîtrisée. Mon professeur de chant, une femme peroxydée et adorable, ne m'en avait pas découragée. Ce deuil serait payant.

Lucille ne parlait pas comme ça, évidemment, elle restait décente. «Nos peines, elles peuvent devenir notre force, Tessa.»

Sauf quand elles nous brisent.

Sauf quand on hyperventile et qu'on passe ses nuits sur Internet à attendre que les pages se chargent et nous donnent les réponses affolantes aux symptômes qui nous assaillent. Et quand ces réponses nous clouent au divan, la main sur la télécommande, nos peines nous font bouffer du soap américain des après-midi, des mois durant. Nos peines nous font fumer comme un pompier, ce qui ruine la voix. Elles nous rendent infirmes de lâcheté et de frayeur. Et par *nous*, j'espère que l'on comprendra que je parle de moi.

La mort de Didon, je ne l'ai chantée qu'en répétition.

«Ce qui est bien», a philosophé Sophie quand je lui ai annoncé mon départ de la faculté de musique à trois mois de l'obtention du diplôme, «c'est que tu seras jamais la fille qui a échoué. Tu seras toujours la bum qui a lâché l'université. Pis vaut mieux être le quittant que le quitté, tout le monde sait ça.»

Je suis restée des années éblouie par la série de hasards qui m'a menée à rencontrer Francis. Une journée de juin 1999, quelques semaines après que j'ai reçu une réponse positive de l'Université de Montréal, Sophie m'a convaincue de l'accompagner à une corvée de deux jours sur le terrain d'une habitation écologique. Nous devions prêter main-forte à une équipe de finissants en architecture de l'Université d'Ottawa. C'était un prétexte pour qu'elle voie Sean, un étudiant qu'elle fréquentait depuis peu; pour moi, ce serait l'occasion de sortir et de cesser d'entraîner ma voix cinq heures par jour. *Ils t'ont acceptée, niaiseuse!* Sophie, qui entrerait en communications à l'UQAM, jugeait qu'une *vie bien vécue* constituait le meilleur matériau de création.

Mon père nous prêtait sa voiture et j'aimais conduire. Sophie nous avait trouvé une chambre où dormir (dans l'appartement que Sean partageait avec un étudiant en biochimie originaire de Kitchener) et avait apporté assez de CD pour nous rendre jusqu'à Chicago. À vingt ans, déjà profondément nostalgiques, nous faisions tourner en boucle les mêmes chansons depuis trop longtemps. La fréquentation excessive de nos préférés – Bob Dylan, Portishead, les Beatles, surtout l'album blanc, l'album blanc jusqu'à la corde, The Police, Leonard Cohen, Carole King à Carnegie Hall, la bande sonore du *Temps des gitans* – était, ni plus ni moins, une hygiène.

Cigarettes fumées la fenêtre ouverte (mon père ne dirait rien, sa nouvelle blonde, Ghislaine, fumait aussi), récitations à tue-tête de *Rocky Raccoon* et de *Famous Blue Raincoat*, descriptions de projets d'avenir: m'exiler en Irlande parce que j'adorais la pluie; nous enfuir en Louisiane pour que Sophie puisse retrouver cet oncle mystérieux dont sa mère lui parlait depuis toujours et qui, selon la légende, faisait du trafic de peaux de crocodile, «après, j'écris un article sur lui, pis je gagne le Pulitzer», s'enthousiasmait Sophie; chanter une version opératique des grands succès télévisuels de notre enfance, *Rémi*, *Candy*, *Tom Sawyer*, *Les Calinours*, et vendre des milliers de disques; monter une table sur le toit de l'immeuble chez Sophie et y inviter, pour mes vingt et un ans, vingt et une personnes à souper; apprendre à coudre, à faire des cocktails, à skier, apprendre à faire des tresses françaises.

À notre arrivée à Ottawa, il a rapidement été clair que la «chambre» qui m'était réservée se résumait à un petit canapé situé dans la cuisine de Sean, entre le chauffe-eau et le solarium. Aaron, le biochimiste de Kitchener, un grand garçon dont la maigreur n'avait d'égale que sa pâleur, m'a proposé de partager sans grande conviction – c'est-à-dire sans convoitise – son lit. J'ai ri nerveusement, déclaré que j'adorais les canapés de cuisine et que, de toute manière, je serais levée avant tout le monde.

Sean était lent et amusé, ses mains voyageaient perpétuellement entre les poches de son pantalon et ses cheveux bouclés, qu'il enroulait autour de son doigt quand il parlait. Il se savait charmant mais vénérait Sophie, alors je m'abstenais de me plaindre de la taille de son ego. Je le laissais rire de ses propres blagues, parce qu'elles étaient drôles et qu'il avait la tête d'un garçon de huit ans. Sean appartenait à cette catégorie de gens qui parviennent à réunir une trentaine de personnes, un samedi de juin, pour gratter de la peinture, déclouer des planches et colmater des trous dans des panneaux de métal. Sophie aurait pu trouver mieux, mais il y avait pire, elle *avait* fait pire. Sean ferait l'affaire, pour le moment.

Dès mon arrivée sur le chantier, on m'a demandé de m'occuper de la cantine avec trois autres filles. Une tâche simple, presque absurde. Qui n'était pas capable de se servir un verre de limonade ou de mettre du lait dans son café ? Je me suis tenue occupée en triant les sacs de chips par saveurs. Peu avant onze heures, un cri a retenti à ma droite ; un étudiant s'était enfoncé un clou rouillé dans la main. Il hurlait – une exagération, me semblait-il – et répétait qu'il n'était pas vacciné contre le tétanos. Une fille l'a emmené à l'infirmerie de l'université, et la station de déclouage est restée vacante. Ennuyée par la conversation des filles de la cantine, j'ai proposé à Sean de prendre la relève.

Mon travail consistait à trier des planches et à m'assurer que tous les clous en étaient retirés avant qu'elles ne soient récupérées pour la finition intérieure de l'habitation. Une fois les planches nettoyées, je les livrais aux sableurs, qui en enlevaient les dernières saletés et écailles de peinture à l'aide de ponceuses rotatives du même modèle que celle dont mon père se servait pour ses menus travaux; petites, donc, et pas très efficaces. À cette table, ça travaillait fort, mais ça avançait peu. Trois garçons franco-ontariens vantaient leur incompétence respective, sans orgueil aucun. «Je pense ben avoir fini pour le Canada Day, moi.» Ils riaient et buvaient du Sprite à grandes gorgées. Ils m'en ont offert, j'ai bu, amusée et un peu moins timide. Aucun de ces garçons ne m'intéressait, et aucun ne s'intéressait à moi. C'était familier et pas désagréable.

— OK, les gars. Frank arrive avec sa grosse sableuse.

Un des trois garçons, Kevin, a fait claquer ses doigts en me souriant.

— On peut pas être slacker toute la vie, faut croire.

Je me suis tournée, comme eux, vers le Frank en question. Il portait un t-shirt quelconque, un truc moche à l'effigie du département de génie civil de l'université, un asticot mauve – ou était-ce un éclair? En tout cas, la chose criait «Eurêka!» dans un phylactère, en plus de porter un chapeau sur lequel on pouvait lire «Promotion 1994». L'ensemble était complété par des shorts, les mêmes que tout le monde portait cet été-là, moi incluse: des bermudas de travailleur beiges munis de dix-huit poches spécialisées, le genre que portent les archéologues ou les cameramen de la BBC. Il avait les cheveux très épais, je me souviens avoir pensé, *Ces cheveux-là sont comme du crin de cheval, il existe probablement des photos d'écolier très comiques de lui*, et quelque chose de lointain dans le regard, cela venait-il des globes oculaires plutôt rentrés dans leur orbite? À son cou pendaient d'affreuses lunettes de soleil miroir attachées par un cordon de nylon, un début de coup de soleil apparaissait sur chacune de ses oreilles, et ses mollets solides en imposaient. *Il fait du vélo, ou du ski, ou les deux.* Cet homme (il avait déjà trente ans) aux lunettes affreuses, aux cheveux de crin et aux loisirs sportifs a déposé sa sableuse, souri, et m'a tendu la main: «Salut, moi c'est Francis.» Comment expliquer que le souffle m'ait manqué, que les Franco-Ontariens aient fondu, pulvérisés dans l'air afin qu'il ne reste dans mon champ de vision que lui et son visage, que mon corps se soit vidé de ses organes pour n'y garder qu'un grand vent, un trou, une plaine, et que la seule et unique de mes pensées, devant cet homme au t-shirt hideux – le col n'était-il pas taché de café? – et au front perlé de sueur, ait été: *Je n'aimerai jamais personne comme je t'aimerai*?

Une série de hasards, donc. Sophie avait rencontré Sean un soir de mars au Madhatter, où nous n'allions que lorsque nos amis de McGill nous y emmenaient, et encore, il fallait nous convaincre. Sean avait eu l'idée de boucler sa maîtrise en grand avec une construction écologique (en fait, j'ai appris que l'idée venait d'Aaron de Kitchener ; comment ne pas demeurer tout à fait fascinée que même Aaron de Kitchener ait eu son rôle à jouer dans notre histoire). Francis, chargé de cours à l'époque, donc leur professeur, s'était présenté sur le chantier. Il m'avait vue. C'était arrivé.

À partir du moment où j'avais accepté de participer au projet de Sean, rencontrer Francis devenait probable. Il aurait pu se rendre à la cantine quand je m'y trouvais, ou assister au party de fin de corvée, le lendemain soir ; il l'a fait, d'ailleurs. C'est ce soir-là que nous nous sommes embrassés comme des adolescents.

Après avoir emprunté la vieille Saab 1992 de Sean, qui la tenait de sa mère, nous avons roulé vers la ville, sous prétexte que les réserves de vodka baissaient. Une heure plus tard, la vodka traînait sur la banquette arrière et nos corps s'emmêlaient, entre le bras de vitesse et le radiocassette qui crachait du Cowboy Junkies. Nous en étions là au lendemain de notre première rencontre. Il y avait eu la poignée de main devant la sableuse, les blagues polies autour d'une bière, et un échange que j'ai tenu pour prophétique. Il aimait Leonard Cohen autant que moi. Au plus creux de la peine abyssale qui suivrait notre rupture, Sophie répéterait inlassablement: «Qui n'aime pas Leonard Cohen, Tessa? Sérieux, qui?» Mais il me semblait si distinctement qu'avec lui, ce n'était pas pareil; c'était pour vrai. L'a-t-il su tout de suite, lui aussi? Était-il allé au party de fin de corvée parce qu'il savait qu'il m'y verrait? Y serait-il allé de toute manière? Et, s'il ne m'avait pas parlé la veille, m'aurait-il remarquée? Francis et moi étions-nous seulement destinés à nous rencontrer, ou *condamnés* à le faire?

Quand Philémon a eu quatre jours, nous avons pensé *promenade*. Ça semblait la chose à faire après deux jours à l'hôpital et deux autres à dévisager le bébé dans son moïse, posé sur la table basse du salon, à nous demander, *Mais qu'est-ce que cette chose vivante devant moi qui n'est pas un chat ni une idée?* Jim avait donc vaillamment descendu la poussette flambant neuve sur le trottoir, puis était remonté chercher le siège d'auto – une vendeuse au sourire de croqueuse de citron nous avait appris que le siège de notre poussette était trop large et criblé de trous; la coquille était, à ses dires, et selon les normes de l'époque, *beaucoup plus sécuritaire*. Jim avait posé la coquille sur la poussette à l'aide de «l'indispensable» adaptateur de plastique acheté à gros prix pour ensuite m'aider à descendre le bébé en me tenant le coude, comme si j'étais une vieillarde sur le point de se fracturer les os du corps. Nous avions enveloppé Philémon dans moult couvertures, malgré le plein été, sans oublier d'apporter le porte-bébé ventral, le sac à couches et des vêtements de rechange. La pharmacie, notre destination exotique, se trouvait à une dizaine de coins de rue.

Les murs de notre quartier étaient recouverts de brique, de béton et de coulisses d'urine, et les rues défoncées que nous empruntions, criblées de flaques d'eau souillée par le passage des voitures, empestaient les poubelles. D'où venaient-elles donc, toutes ces agressions? Avaient-elles toujours été là? Il semblait indécent, tout à coup, de livrer une petite chose si cassante au monde.

La caissière de la pharmacie parlait trop fort. Sur le trottoir, les flâneurs trébuchaient contre la poussette, et trois d'entre eux avaient failli s'écraser sur Philémon. Le tuyau d'échappement des véhicules utilitaires sport arrivait pile à sa hauteur. Et pourquoi le soleil plombait-il si fort sur nos têtes? Où étaient les grands arbres nobles qui se pencheraient sur nous et protégeraient notre passage?

J'avais passé les dernières années à me convaincre que l'univers était un lieu inhospitalier, mais je ne l'ai jamais ressenti de manière aussi brutale que cet après-midi de juillet où Philémon, Jim et moi avons parcouru les dix coins de rue qui séparaient notre appartement de la pharmacie du quartier. Avais-je vraiment souhaité faire subir la douleur de l'existence à quelqu'un d'autre? Qu'est-ce qui m'avait pris?

Je suis repassée par Ottawa avec mon père, trois mois après avoir rencontré Francis, en route vers le chalet de mes grands-parents, à Wakefield. Cette ville sans joie qu'était Ottawa me semblait désormais animée, bonifiée par notre rencontre, baignée de l'or du souvenir amoureux.

Rue King Edward, nous avions acheté du vin. Sur les rives du canal, nous avions marché pour dégriser de notre première nuit ensemble. Et de cette cabine téléphonique dans un recoin du marché By, j'avais ensuite appelé Sophie pour tout lui raconter. Je n'avais pas eu la patience d'attendre d'être rentrée à l'appartement de Sean et, au téléphone, j'avais pu incarner l'amoureuse déjà éperdue, essoufflée, comblée et en manque que j'étais.

— Je peux comprendre ce que tu lui trouves. Il est brillant, il paraît.

— Qui t'a dit ça? Sean le connaît bien?

— Pas plus que ça. Il dit que c'est un prof de lettres dans un corps d'ingénieur.

— C'est exactement ça! C'est un peu dégueulasse, comme description, par contre.

— Oui.

— Tu me trouves ridicule?

— Je trouve que c'est la première fois que tu manifestes une réaction aussi forte à un être vivant qui est pas un monsieur fictif dans un livre du dix-neuvième siècle.

— Heathcliff, avoue, quand même.

— J'avoue, mais tu sais ce qui peut battre une torride aventure imaginaire avec un ténébreux orphelin du Yorkshire? Une torride aventure avec un ingénieur de l'Université d'Ottawa.

— Même s'il porte un t-shirt avec un asticot coiffé d'un sombrero?

— Je pensais que c'était un trépied avec un niveau, tu sais le machin qu'on voit au bord des routes, pour les géomètres...

— Avec un sombrero?

— Ça me laisse perplexe, moi aussi. Mais quand tu seras dans son lit, il l'aura pas sur le dos, son t-shirt.

— Donc t'approuves?

— J'approuve. Mais viens-t'en, là. Il faut être à Montréal avant sept heures, ton père a besoin de son auto.

Nous étions depuis tout à fait amoureux, du moins c'est ce qu'il me semblait à moi, qui passais chaque minute d'éveil à tailler une place au visage de Francis dans mon œil et à sa voix dans mon oreille, pour qu'il m'accompagne en toute chose. À ma rentrée universitaire, alors que je serrais des mains et retenais les noms de mes collègues de classe, *Gina, Josée, Marc-Antoine,*

Louis-Philippe, Maria, bonjour, enchantée, salut,
Francis me suivait partout. Il avait droit à une version améliorée de moi, celle qui apparaissait rieuse et
douce, intéressée, et jolie dans sa jupe à imprimés de
parapluie. Sa présence me donnait la force nécessaire,
où que j'aille. Je pensais souvent, *Voilà l'amour.* En
l'absence comme en la présence de cet homme, j'avais
la force nécessaire. Peu m'importait s'il ne venait me
voir qu'une fois tous les dix jours et qu'il était le seul à
pouvoir me téléphoner – ce n'était pas une règle expli-
cite, mais il ne me réclamait jamais d'appel, et comme
il venait de décrocher un poste prometteur et exigeant
dans un grand bureau montréalais, j'avais rapidement
décidé qu'il valait mieux lui laisser l'initiative de me
joindre. Ainsi, pas de doute sur son envie de me parler.
Je n'ai jamais rencontré ses amis, sauf quelques vagues
connaissances croisées à la corvée de construction.
Sa famille vivait en région éloignée (Sept-Îles, dont je
ne connaissais rien, mais sur laquelle je m'étais mise à
lire, tout à coup), et je ne m'attendais pas à ce qu'il me
la présente aussi vite. Je n'étais pas ce genre de fille.
Dépendante. D'ailleurs, il n'avait pas rencontré mes
parents non plus. Je ne leur avais même pas parlé de
lui. Seulement à Étienne, un peu.

— Il est vieux.

— Tu tripes sur un king papi? Il rocke son démon du
midi?

— Arrête! Il a trente ans.

— Il est pas vieux. Il est juste moins jeune.

— Exact.

— Il est gentil avec toi? Il t'aime?

— Il est *super* gentil avec moi.

— Il t'aime?

— Je vais quand même pas le lui demander. Des plans pour qu'il disparaisse.

— T'as raison. Ça se demande pas. Mais ça se sent, par exemple.

— Ah bon?

— Alors, il t'aime?

— Je sais pas, Étienne. Je sais même pas si je l'aime.

— Moi, je le sais.

— Arrête.

— Non, mais sérieux. Si tu penses que le monde se rend pas compte que tes pieds portent plus à terre pis qu'il y a une toune de Motown qui roule dans ta tête en permanence, juste te dire que c'est pas réussi, ma biche.

Quand la voiture de mon père a traversé Ottawa pour rejoindre la route 105, je n'étais en effet pas loin de flotter. Étienne l'aurait remarqué, mais il n'était pas venu avec nous, cette fois-là. Depuis l'enfance, nous passions chaque long congé de la fête du Travail au chalet, nous nous entassions dans le salon avec les cousins, sur des matelas de fortune parce que nos oncles et nos tantes occupaient déjà les chambres, sans compter mon père, sa compagne du moment, et mes grands-parents – puis mon grand-père seul quand ma grand-mère a refusé de se réveiller, après quatre-vingt-quatre ans de loyaux services.

Étienne avait une nouvelle blonde, une ancienne copine du secondaire qui s'appelait Fabiola et qui sentait la cannelle et le tabac. Moi, Francis était venu me rendre visite quelques jours plus tôt (cinq, pour être précise; dimanche soir, il était venu cogner à la porte de mon appartement avec une douzaine de bagels et un film de John Huston, m'avait déshabillée sur le divan du salon, n'était pas resté dormir, *J'ai une grosse semaine devant moi.*) Il ne m'appellerait probablement pas avant lundi ou mardi, du moins c'est ce que la courbe de nos fréquentations prédisait. Et s'il tentait de me parler plus tôt, j'adorais l'idée de ne pas y être, qu'il vive un manque, qu'il souffre et attende. Je savais que j'écouterais les messages de ma boîte vocale plusieurs fois par jour, expliquant à tous que j'attendais des nouvelles d'un travail qui me permettrait de payer mes études. Les rares fois où j'entendais sa voix sur le répondeur, j'implosais de joie. «Oui allô, salut, c'est Francis, j'appelais comme ça, pour prendre des nouvelles, savoir comment tu vas, tu peux me rappeler si ça te convient, à bientôt, ciao.» Il avait cette drôle de tendance à la parlure officielle. *Si ça te convient.* Comme si j'étais son représentant syndical ou un courtier d'assurances. Je mettais ça sur le dos de son travail, de son éducation ou de sa timidité. Mais je ne laissais personne entendre ses messages, même pas Sophie. Elle se serait montrée clémente, parce qu'elle l'était de nature, mais j'aurais malgré tout deviné son amusement médusé. Et nul ne se moquait de Francis en ma présence.

Je n'ai donc rien dit non plus sur Francis à mon père, à la place nous avons fait jouer les chansons des stations de radio oldies que nous affectionnions tous les deux: Lesley Gore, Fats Domino, The Chordettes, The Shirelles, Bobby Lewis. *«I couldn't sleep at all last night, just a-thinkin' of you, baby things weren't right, well I was tossin' and turnin', turnin' and tossin', tossin' and turnin' all night.»* Le premier qui nommait l'interprète gagnait. Nous nous sommes arrêtés à notre pataterie habituelle, à la sortie de Wakefield. Mon père a rompu le silence à une ou deux reprises pour raconter ses histoires de jeunesse, si souvent entendues, mais peu m'importait. La répétition dans les mots, les chansons, les paysages, cette route que je connaissais par cœur, c'était tout ce que je souhaitais pour Francis et moi.

Un an plus tard, nous allions reprendre la route. Il y aurait les cendres d'Étienne dans une petite urne en chêne sans dorures, déposée au centre de la banquette arrière, près de moi. Mon père tiendrait le volant, ma mère serait assise sur le siège du passager. Nous formions un tableau de famille qui n'avait jamais existé. C'était tellement sinistre que j'avais voulu en rire. «Pour faire une balade en famille, il faut que l'un de nous soit mort!» Pou-poum-tchi. Francis rirait, non? Mais Francis n'était plus là lui non plus. Savait-il seulement ce qui m'arrivait? Et si je l'appelais, de la même cabine téléphonique où, grisée, j'avais annoncé notre amour à Sophie, saurait-il, en m'entendant, que je coulais au fond des mers et qu'il devait m'en sauver?

Mais il n'y avait plus personne au bout du fil. Francis était parti comme il était venu. Nous avions d'abord partagé un été d'attente et de rendez-vous, et je ne sais pas, de l'attente ou des rendez-vous, ce qui m'avait semblé le plus délicieux.

Cet été-là, il faisait le grand saut d'Ottawa à Montréal, et, lorsqu'on se voyait, il venait de visiter un appartement, ou s'apprêtait à s'y rendre. *Je peux y aller avec toi, si tu veux. Je connais ma ville, je vais t'aider.* Francis refusait gentiment, j'avais assurément autre chose à faire. Je n'insistais pas. Je n'ai jamais demandé à voir le trois et demi de Rosemont qu'il a finalement choisi. On m'avait dit que l'insistance rebutait les hommes.

Que les livres, les chansons, les films et les paysages comme les gens rencontrés me soient devenus une occasion d'alimenter nos conversations ne changerait rien au désastre. Il fréquentait une fille de Montréal. Je vivais un grand amour, exquis et tellurique. Je m'y étais faite avec l'empressement d'une junkie, et je ne rouspétais jamais aux absences, aux rendez-vous espacés. Oh, dans ma tête, c'était une autre histoire. Nous avions fait notre nid dans mon petit appartement, j'avais changé le rideau de douche à pois rouges pour un neuf à imprimé de mappemonde (moins féminin), afin que nous puissions y pointer les pays à découvrir, pendant notre douche commune. Si nous recevions des amis à souper, je le laissais préparer un truc compliqué et un peu raté, déplacer les meubles pour allonger la table ou emprunter des chaises à la voisine; il posait quelquefois sa main sur mon sein tandis que je refroidissais le vin, que je fouettais la crème pour le shortcake. Nos draps étaient bleus et sentaient le tilleul.

Il a rompu un mardi de novembre, cinq mois après notre rencontre, une conversation d'une dizaine de minutes tout au plus. J'ai pensé, *Nous n'aurons jamais pris de douche ensemble.*

— Je me suis acheté un nécessaire à brasserie maison.

— Vraiment?

— C'est un cliché, l'ingénieur qui aime tellement la bière qu'il veut s'en faire, han?

— De la vraie bière, avec du houblon pis toute?

— Avec du houblon pis toute.

— Avec du malt, même?

— Avec du malt et du houblon, certainement, madame.

— Tu prends ça où, du-malt-et-du-houblon?

— Ça vient avec le kit.

— C'est super.

— On peut rajouter des écorces, pour faire chic.

— Donc, c'est ça que t'as fait cette semaine.

— C'est ça que j'ai fait cette semaine. Aussi, Audrey est revenue.

— Qui?

— Audrey, qui était en stage à Vancouver, depuis un an. Audrey, ma blonde. Je t'en ai parlé.

— Je pense que non.

— Je suis presque sûr que je t'en ai parlé.

— Je suis totalement sûre que non.

— Ça te fait de la peine?

— Ça me. Surprend.

— Oh. Je pensais que t'étais un agent libre.

Rappelle-toi de ses hosties d'expressions débiles, rappelle-toi qu'on n'a pas envie d'un homme qui utilise un terme comme «agent libre» pour nous décrire quand il veut couvrir sa couardise.

— Oui, oui, c'est pas faux.

— OK. J'ai quand même été ravi d'avoir pu te côtoyer, Tessa.

D'avoir pu te côtoyer, d'avoir pu te côtoyer, rappelle-toi de ça, des ces mots creux quand tu ramperas sur le plancher, une traînée de larmes derrière toi.

— OK. Super. Il faut que. Il faut que je raccroche. Des amis qui m'attendent.

— Prends soin de toi, Tessa.

Je n'avais pas pleuré. Je m'étais laissée glisser le long du mur pour m'asseoir sur le plancher, le téléphone entre les genoux. J'avais refait le compte de nos nuits et de nos repas. Le souper où je lui avais préparé des spaghetti à la putanesca. Cet autre pour lequel nous étions allés chercher des frites à minuit moins quart. Quand il était entré dans ma chambre la première fois, notre baise maladroite et exaltée. « T'es roulée comme une super nana. » Dans le jour, son langage de fonctionnaire, et puis durant la nuit, son langage de film traduit. En faisant le compte, il devenait improbable que cette histoire m'ait foudroyée à ce point. Et pourtant.

Lorsque les larmes commenceraient, elles ne s'arrêteraient plus pendant deux jours. Une fin de semaine d'yeux bouffis et de mal de tête. Profitant d'une accalmie, le samedi après-midi, j'avais préparé un gâteau au chocolat, un mélange en boîte avec du glaçage industriel. Je l'avais fait rond, à deux étages, et saupoudré de paillettes arc-en-ciel. Il était magnifique. Je l'avais regardé, dans sa jolie assiette fleurie – une trouvaille fraîche dans une brocante. Je m'étais promis en l'achetant que je m'en servirais quand Francis viendrait. Je voyais déjà nos serviettes chiffonnées sur la table, abandonnées avant la fin du repas parce que nous serions trop pressés de nous retrouver nus. Ces pensées m'accompagnaient depuis des semaines. À présent, devant mon gâteau de solitude, il n'y avait plus de pensées.

Il était décidé que le lot familial au cimetière d'Amos convenait au dernier repos de mon frère, même si Étienne n'avait pas remis les pieds en Abitibi depuis ses huit ans et que, s'il avait pu se prononcer sur la chose, il aurait certainement préféré que l'on disperse ses cendres au-dessus du Grand Canyon ou dans l'océan Pacifique, à la hauteur de San Francisco. Un grand rave de trois jours, à Rowardennan, où l'on aurait incorporé ses cendres à un grand feu de joie, brûlant jour et nuit, lui aurait mieux convenu. Mais nous n'étions pas Étienne. Nous étions des sinistrés, et après l'euphorie ressentie devant les manifestations d'amour qu'il avait reçues, il y avait eu le ressac, et une grande fatigue.

Entouré de clôtures Frost et dépouillé de tout arbre (il fallait faire de la place pour les tombes), le cimetière d'Amos n'évoquait ni le recueillement ni les disparus. Le soleil plombait sur lui avec une agressivité insistante qui correspondait à notre état d'esprit. Mais Paule aimait revoir son monde, les lacs de son enfance, et se baigner des histoires de son pays. Dans le deuil, ma mère avait cessé d'être punk.

Jim a décroché un poste à l'orchestre le jour où Philémon a levé la tête pour la première fois. Je l'avais déposé sur la table à langer, et les gestes habituels avaient suivi: chatouiller le petit ventre rose, chanter la comptine inventée sur les poissons et les étoiles, embrasser le bout du nez. Et puis c'était arrivé. Philémon avait courbé la nuque et réussi à soulever la tête quatre, peut-être cinq secondes. Sourcils froncés et poings serrés; le moment était d'importance. Je l'ai couvert de baisers, étonnée de ma propre excitation. Les bébés ne faisaient pas ça à cinq semaines, pas à moins d'être très forts! J'ai couru trouver Jim dans la cuisine: «Il vient de se produire quelque chose d'extraordinaire.» Mais Jim était au téléphone – le téléphone avait-il sonné? Depuis que Philémon était là, je ne l'entendais plus – et il a levé le doigt, doucement comme il sait le faire, pour que je me taise. Philémon me tétait l'épaule, patient. Jim hochait la tête: «vraiment content», «merci, merci beaucoup, merci». Lorsqu'il a raccroché, il s'est tourné vers moi avec un sourire rempli d'un tel espoir que j'en ai eu, bien malgré moi, la nausée.

— Je l'ai. J'ai le poste à l'orchestre.

— T'es sérieux?

— La totale, deuxième trombone, permanent, tous les avantages.

— Jim!

— On sera pas millionnaires, ma belle, mais on va être corrects. Tu peux prendre tout le temps que tu veux.

— Tu vas pas me faire vivre. Ce serait mal me connaître.

— Je sais. Je voulais dire, tu peux prendre tout le temps que tu veux avec Philémon, ou avec d'autres projets, tu peux retourner étudier, finir ton bac.

— Ça marche pas comme ça, tu le sais.

— Peut-être pas.

— Pourquoi tu le proposes si tu le sais?

— Je veux juste que tu saches ça. Que tu peux faire ce qui te tente.

— Je retournerai pas chanter.

— Fine.

— Ça te dérange? Parce que je te le dis, si t'attends après ça, tu vas être déçu. Je retournerai jamais chanter.

— J'attends après rien du tout.

Jim a posé sa main sur Philémon et m'a attirée vers lui. Si quelqu'un nous avait aperçus par la fenêtre de la cuisine, il n'aurait pas pu deviner la rigidité de mon corps, et mes pleurs silencieux.

— Je suis vraiment fière. Je veux que tu le saches. Je suis tellement, tellement fière.

— Je sais. Moi aussi.

— Pff.

— Pff toi-même.

J'ai laissé ma tête se nicher sur l'épaule de Jim et j'ai fermé les yeux. Il sentait le maïs et l'herbe coupée, et son cou suivait la même courbe que celui de Philémon.

— On va te faire une fête. On va appeler les amis, boire du champagne.

J'ai pensé aux amis qui arriveraient en troupeau et qui donneraient des nouvelles de tout le monde avant de s'installer au salon et de parler fort. Ils finiraient par accepter d'aller fumer sur le balcon, et la fête migrerait à l'extérieur. Pourquoi ne pas rester dehors? Le mois d'août n'était pas terminé, après tout. Ils se passeraient Philémon de bras en bras, émerveillés par l'étrange miracle de sa présence, et soulagés de s'en défaire. Ils se mettraient aux fourneaux sans qu'on le leur demande, prépareraient des pâtes, rien de compliqué, juste une marmite de carbonara pour éponger le vin espagnol. Chacun ferait le décompte des accomplissements des autres: unetelle aurait gagné le Concours, l'autre serait à Toronto, tandis qu'un dernier songerait à fonder un quatuor. Je les entendrais ressasser des anecdotes du temps de l'école, derrière la porte fermée de ma chambre, où je me serais retirée pour nourrir Philémon. Là, je pourrais les écouter sans faire l'effort de sourire et d'acquiescer; rien ne m'intéressait excepté ce silence rythmé de succions. D'ailleurs, rien de ce qu'ils m'offriraient, le vin, les blagues, l'énergie, ne pourrait me retenir auprès d'eux. J'étais prise, promise, merveilleusement emmurée. Et j'éviterais leur méfiance devant mon regard absent, leur inquiétude, leurs murmures alarmés, *Tessa va pas passer sa vie à travailler dans une librairie et à faire des bébés, hein? Elle a vraiment tout lâché, pour de bon? Tu laisseras pas faire ça?* J'ai pensé à mes amis avec qui j'avais chanté, mangé, bu et fumé, manifesté et dansé – Alexandra, Dominic, Julie, Anne, Sunny. Leur bonne humeur et leurs vêtements ajustés m'étaient devenus étrangers.

Au moment de me dédire, je ne me suis pas redressée, l'épaule de Jim était trop bonne.

— Finalement, pas d'amis. Juste nous.

Jim a acquiescé, j'ai oscillé un instant, puis me suis replacée. Tout était en ordre.

Pourtant, j'avais bel et bien appartenu à ce monde. Comme mes amis, j'avais arpenté avec nervosité les corridors du département de musique en attendant les évaluations.

Je terminais la première session de ma troisième année, sans éclat, en suivant mes cours du mieux que je le pouvais. Il me fallait déployer une énergie considérable pour me comporter en public comme une personne normale. Porter des vêtements appropriés, me laver les cheveux, marcher du point A au point B, manger une soupe, lire un livre. Je chantais, je suivais les leçons, je répétais. Je m'efforçais de correspondre à ce qui était attendu de moi. Rentrée à l'appartement, le soir, j'enlevais mes chaussures et je m'effondrais enfin au fond du lit. Là, j'étais libre.

Une fissure lézardait un mur de ma chambre, du plafond à la moulure de la fenêtre, une diagonale brisée. Je me plaisais à en faire une issue pour les fourmis et les araignées, à imaginer un passage entre l'étage supérieur et le dehors, un chemin de libération miniature.

Mes yeux la suivaient lentement, avec précaution, vers l'extérieur, là où les feuilles de l'érable touchaient presque ma fenêtre. Je retraçais alors le chemin, des feuilles aux branches au tronc jusqu'aux racines. Ce rituel me soulageait. Puis, machinalement, mes yeux retournaient à la naissance de la brèche, au plafond. Ça pouvait durer des heures, interrompues seulement par la faim ou le téléphone. Je répondais juste assez souvent pour que l'on ne s'inquiète pas. À ma mère, je parlais de mes études, des exigences du programme, du repos essentiel à la qualité de la voix. Elle se réjouissait que j'étudie la musique. «C'est merveilleux que tu poursuives tes rêves, Tessa. C'est plus précieux que tu ne le sauras jamais.» Je me félicitais d'être assez convaincante pour qu'elle me croie. Il lui arrivait de proposer qu'on sorte se promener au parc Jeanne-Mance ou manger une crème glacée, et mon mensonge satisfait s'assombrissait de culpabilité. Paule voulait me voir, être une mère plus que quelques minutes au téléphone. Cette femme voulait juste se sentir assez importante pour que l'absence d'Étienne cesse de crier.

Il m'arrivait d'accepter mollement de la rejoindre ou de promettre une séance au cinéma, après la prochaine évaluation ou le prochain concert. Alors sa voix se gorgeait d'espoir et ma culpabilité remontait, je prétextais un chat dans la gorge ou un sinus bloqué, et je raccrochais rapidement, délivrée et honteuse. À Sophie, je ne savais pas mentir, je faisais dévier la conversation vers les anecdotes les plus savoureuses de la faculté, dont elle se délectait. Rien de tel ne se passait en journalisme, disait-elle, et le mélodrame permanent d'une école de musique classique la ravissait. J'arrivais à être drôle et bavarde, dans ces moments, et le rire de Sophie me nourrissait. Elle se montrait aussi habile à entretenir ma supercherie que je l'étais à la créer. Parfois, elle disait: «Je suis pas dupe, juste pour ton information.» Elle me suppliait ensuite de la suivre quelque part, dans un bar ou à une réception chez ce vieux journaliste qui leur servait de prof et avec qui elle avait l'intention de coucher avant la fin de la session. J'étais parfois obligée de dire oui, il y avait des limites à l'isolement ou, à tout le moins, des limites à ne pas franchir si je ne voulais pas être prise en pitié.

Je préparais mon récital de fin de session, pour lequel je caressais de grandes ambitions que je refusais catégoriquement de tamiser. Je chanterais *Beim Schlafengehen*, un des derniers lieder de Strauss, une superbe pièce très connue que j'étais sûre de rater. N'avais-je pas mesuré la minceur de ma voix quand je l'avais lue en classe? Mon registre de soprano sans vibrato était tout juste bon à chanter les madrigaux du Moyen-Âge. Mais je n'en démordais pas. Je serais lyrique ou je ne serais pas. Dans les répétitions, laborieuses et pétries de malaises, je n'arrivais à rien. Le matin du récital, je me suis réveillée fourbue après une nuit sans repos peuplée de rêves où Francis et Étienne, mes disparus, mon désespoir, se baignaient dans un lac en plein été et me criaient, *L'eau des morts est bonne! Viens!* Je restais sur la rive et criais à Francis qu'il n'était même pas mort et que c'était bien l'excuse la plus faux-cul que j'avais entendue, *se sauver de la vie parce qu'on veut se sauver d'une fille, hostie de lâche du câlisse*, mais mes cris ne quittaient pas ma bouche, j'avais la tête pâteuse et les paupières tombantes et, en rouvrant les yeux, je m'apercevais qu'Étienne avait disparu sous l'eau, j'avais passé tellement de temps à m'occuper de Francis qu'Étienne m'avait échappé, encore une fois, pour toujours. Au réveil, la douleur était si aiguë que j'avais pensé *quelqu'un m'a coupé un bras*. Les sanglots avaient afflué, trente-cinq minutes de pleurs sans élégance, puis le réveille-matin m'avait rappelée à l'ordre. Je serais lyrique ou je ne serais pas. L'injonction m'a suivie jusqu'aux toilettes où je m'étais réfugiée quelques minutes avant la présentation, en nage malgré la neige dehors, convaincue que je commettais la pire erreur de ma vie et que cette dernière humiliation de la série qui m'accablait depuis que j'avais eu l'audace d'avoir des ambitions serait celle qui m'achèverait. J'avais perdu pied dans le corridor en sortant des toilettes, mes jambes m'avaient lâchée subitement, elles avaient décidé de la suite des choses à ma place parce que j'étais une mauviette incapable d'assumer sa fuite, jusqu'au moment où une paire de bras m'avait rattrapée in extremis avant que je m'effondre au sol. Ces bras m'avaient enserrée, *tu es ici, tu es vivante, tu es ici*, et, dans ma reddition, j'avais seulement pu formuler que je devais sortir, que c'était une question de vie ou de mort, et la paire de bras avait acquiescé, «Oui, on sort, je reste avec toi.» J'ai fini par pouvoir lever les yeux vers le visage qui disait cela, en les plissant comme quand on veut distinguer le ciel de la mer, *Toi, tu es en maîtrise, tu joues du trombone*. «Je m'appelle Jim, viens, Tessa», et quand l'air mordant de décembre m'avait fouettée, à la sortie de l'université, je m'étais dit que Jim connaissait mon nom, et que c'était étonnant.

À cet instant précis, il m'était apparu dans un éclat de lucidité que je ne serais pas lyrique. Mais alors, que faudrait-il être?

Un soir, ma mère est venue nous chercher, Philémon et moi, et nous avons roulé en voiture pour l'endormir. L'été avait cédé la place à l'automne, et la nuit le sol gelait. Des concerts retenaient Jim à Québec, c'était sa première absence depuis l'accouchement. Je m'y suis acclimatée avec délice. Nos journées s'enchaînaient, merveilleusement répétitives, et puis j'étais si *occupée*. Il fallait faire boire Philémon, l'endormir, le changer, lui faire prendre l'air, et le faire boire, et le laver, et l'endormir. Nous nous passions de mots et, dans notre silence, il y avait ce fil tendu entre nous, inflexible.

Au troisième jour, Philémon a refusé de dormir, et ses pleurs ont rempli l'appartement deux heures durant. Nous avions vite découvert que les longues promenades en voiture, de préférence sur l'autoroute, se révélaient très efficaces. Le ruban d'asphalte, la cadence prévisible, les lumières familières et notre confinement, tout cela me calmait autant que lui. Mais Jim était parti avec la voiture, et l'entêtement farouche avec lequel je m'occupais seule de Philémon (N'étais-je pas en train d'accomplir quelque chose de primordial qui remettait à plus tard toute autre question?) s'est affaibli, subitement. J'ai appelé ma mère.

Elle est arrivée vingt minutes plus tard. Philémon hurlait quand nous l'avons installé dans son siège. Ses cris s'étaient transformés en hoquets désespérés. Son front s'était coloré de rouge violacé, sauf un orbe de peau de la taille d'une pièce de cinq sous qui restait toujours blanc, même au milieu de la colère, comme s'il avait été béni à cet endroit.

Nous avons pris le chemin de la montagne, où il faisait bon conduire sans être dérangé par les feux de circulation. Il serait minuit dans vingt minutes. Philémon s'est tu presque immédiatement. «Tu veux rentrer?», a demandé ma mère. «Tu dois être épuisée.» Elle semblait alerte, comme si sa journée commençait. Le roulement de l'auto me berçait, et une pluie chantante mouillait les vitres de la voiture. «Il vaut mieux attendre un peu, qu'il soit assez endormi.» Philémon dormait à poings fermés, je connaissais le moindre de ses souffles, et celui qui s'échappait alors de lui, ce grondement lent, pesant, étonnant dans une si petite caisse de résonance, ne trompait pas. Cependant, il y avait les mains de Paule dirigeant le volant avec, oui, c'était bien ça, une espérance, et la pluie sur la ville, le cimetière du mont Royal par la fenêtre, il y avait la permission d'être accompagnée et silencieuse tout à la fois. «On va faire un bout encore.» Sa joie a rejailli sans bruit. Je me suis calée dans mon siège, j'ai posé ma tête sur le dossier, et j'ai fermé les yeux. Où était Francis, ce soir? Que faisait-il? Sur la montagne, il se trouvait une fille dont il avait partagé le lit cinq ans plus tôt, cette fille n'était plus une fille mais une mère, son cœur en charpie recommençait à battre pour un autre que lui, et elle en était reconnaissante. Savait-il qu'elle était aimée?

Cela changerait-il quelque chose?

Avec les premières neiges sont venus les après-midi courts. La vie de Philémon prenait tranquillement les contours de l'ordinaire. La nuit était la nuit, le jour était le jour, et sa présence nous faisait désormais l'effet qu'a une ville étrangère où l'on s'est installé depuis juste assez longtemps pour savoir dans quelle rue acheter du pain. Sophie, que je retrouvais sur la rue Laurier pour manger une omelette aux dattes et promener Philémon, planifiait un voyage en Thaïlande et prenait soin de me rassurer sur la fiabilité de Nathan, qu'elle venait de rencontrer et avec qui elle voulait partir. Ce rituel remontait à loin, à l'époque où Sophie s'évadait sur des coups de tête, en autobus ou sur le pouce, pour des fins de semaine d'aventure, tantôt avec un garçon d'intérêt, tantôt avec une amie plus game que moi, me demandant de couvrir ses arrières auprès de ses parents. À ces derniers, elle faisait croire à une invitation au chalet d'une amie (de préférence Élise, ou Marie-Joëlle, ou Jeanne, dont les parents suffisamment hippies ne contactaient pas les autres pour s'enquérir de leur progéniture), et elle prenait soin de mentionner que, dans cet endroit rustique, il n'y aurait ni téléphone ni électricité. J'étais la seule à savoir qu'en réalité elle irait au terminus d'autobus, choisirait une destination au hasard (*Kingston, Ontario. Kingston, comme dans les chansons de Bob Marley! Je vais te dire, Tessa, c'était pas la Jamaïque*). Je lui faisais promettre de m'appeler tous les jours, de me laisser savoir où elle dormait et avec qui. Si elle ne rentrait pas au moment prévu, je serais celle qui la sauverait. En prime, j'expérimentais par procuration l'excitante sensation de la bravoure, sans quitter le confort de ma partition du *Requiem* de Mozart, à apprendre pour le prochain concert.

Nous étions devenues adultes, et Sophie n'avait plus à mentir à ses parents. Mais l'habitude était restée.

— Nathan t'a donné de la marde l'autre soir parce que tu l'as pas appelé à l'heure où il attendait ton appel, non?

— Tout le monde me donne de la marde pour ça.

— Pas moi.

— Toi, t'es mon amie.

— Et le gars avec qui tu couches devrait pas être ton ami?

— OK. C'était pas idéal.

— Pas d'affaire à partir à l'autre bout du monde avec un gars qui va te péter une coche quand tu penses à autre chose qu'à lui.

— Il est pas comme ça.

— Il est un peu comme ça.

— Écris en code, si tu sens qu'il lit tes emails.

— J'aurais dû aller te rejoindre près de chez toi. Ça va te prendre une heure pour rentrer avec la poussette.

— Ça fait dormir le petit, c'est bon. Je pourrais faire carrière là-dedans. Promeneuse de bébés. Il y a un marché pour ça, non?

— Tu peux faire une carrière dans ce que tu veux, mon amie.

— Ta gueule.

— Toi-même.

Le soir tombait et il faisait bon se retrouver parmi les travailleurs pressés de rentrer et les femmes frissonnantes en talons hauts. À cette heure, les autres landaus que je croisais étaient ceux du retour de la garderie. Des mères aux traits tirés fourraient des moitiés de croissants entre les doigts potelés de leurs bambins criards, pour calmer leur appétit ou, peut-être, les faire taire. Je savais que mon rythme et mon absence de mallette de travail me trahissaient, *Celle-là, elle est encore en congé*. Ils ne savaient pas que j'avais lâché mes études à trois mois du diplôme pour vendre des livres sur Côte-des-Neiges pendant deux ans, avant de me retrouver enceinte, et que mon congé, en fait, s'étirait. Je me suis demandé ce qui se passerait si je décidais de rester en congé pour toujours, et si la poussette se changeait en trottinette, puis en vélo, et que la femme que me renvoyait le reflet des vitrines gardait éternellement ce pas oisif. Qui s'en soucierait?

C'était l'heure bénie où les maisons s'illuminent sans que l'on pense encore à tirer les rideaux. Je pouvais marcher dans les petites rues autour de chez moi – la sieste durerait un peu, je ne voulais pas rentrer maintenant, Jim répéterait jusqu'en fin de soirée – et épier la vie des autres. Là, un salon composé d'un mur entier de bibliothèques et d'un vieux lustre kitsch. Ici, un arrangement bigarré pour faire entrer deux lits dans une chambre d'enfant minuscule. Un plafonnier sans gêne ni gradateur, éclairant un ensemble de sofas en velours orange brûlé. Et des téléviseurs. Beaucoup de téléviseurs, une enfilade de salons bleutés et nerveux, tournés vers des écrans diffusant les nouvelles ou un jeu-questionnaire. Des désastres privés et des coquilles vides, englués de conformité. En empruntant la ruelle, pour utiliser la porte donnant sur la cour, mes yeux ont croisé ceux d'une adolescente. Elle avait quinze ans tout au plus, et son regard portait au-dehors, à l'exact moment où le mien voulait plonger vers le dedans. J'ai pensé, *Je les connais tous.*

Je n'ai eu besoin de rien d'autre, à cet instant.

lenny

— Ça va toujours pour demain?

— Demain.

— Vous avez une soirée, non?

— Oh. Oui. Une soirée. Les quarante ans de Charles.

— À quelle heure vous voulez que j'arrive?

— Demain, les quarante ans de Charles.

— Quoi?

— Samedi, demain.

— Peux-tu cesser de marmonner? Tu sais que ta vieille mère est dure de la feuille.

— Oui, euh. Oui. Six heures, disons. Six heures, ça te va? Tu peux arriver plus tôt aussi.

— Si j'arrive plus tôt, je pourrais m'occuper du souper.

— C'est pas à toi de faire ça, hein.

— Regarde, c'est pas quelque chose de désagréable pour moi, de faire à manger pour mes petits-fils, je peux leur faire des frites, ils aiment mes frites.

— C'est sûr.

— Mais si tu préfères que j'arrive plus tard.

— Non. Cinq heures alors. Laisse-moi te.

— Ta friteuse est encore brisée?

— Elle était pas brisée. Elle était juste sale.

— Pas besoin que j'apporte la mienne?

— Pas besoin, non.

— T'as de l'huile de canola?

— Je sais pas. Je pense qu'elle est rance.

— Tu trouves que tout est rance.

— C'est faux.

— Je peux apporter la mienne. Je viens de l'acheter. Elle est pas rance.

— Je te crois.

— Tu la sentiras si tu veux.

— Je te crois, j'ai dit.

— Je leur ferai du poisson avec ça. Ils mangent pas assez de poisson.

— Je leur fais du poisson au moins une fois par semaine.

— Pas assez de poisson blanc. Tu fais juste du saumon.

— Laisse-moi te confirmer tout ça.

— Quoi?

— Je vais te confirmer samedi matin. Jim, il a des migraines ces temps-ci. Il va peut-être annuler.

— Je pourrais venir quand même. S'il a des migraines, justement. Il pourrait se reposer.

— On verra. On verra ça.

— T'es bizarre. Est-ce que tu me parles en conduisant?

— Oui.

— Je raccroche.

— Je suis en mains libres, maman.

— Je raccroche quand même. Avais-tu autre chose à me dire?

Pendant une fraction de seconde, j'ai pensé tout lui dire. *Maman, je vais revoir mon ancien chum, non, chum, c'est un mot un peu fort, plutôt un amant magnifié. Je vais le retrouver, devant chez Lenny à midi et demi, ensuite je le suivrai dans la ville, vers une chambre d'hôtel sans doute, j'ai d'abord pensé qu'on le ferait dans la voiture, mais je me suis rappelé qu'on est des adultes maintenant, qu'il aura bientôt quarante-cinq ans. Les gens de quarante-cinq ans ne batifolent pas dans les voitures, ils se prennent une chambre d'hôtel et se lavent les mains après avoir fait pipi, alors je le suivrai vers une chambre d'hôtel, comme cet amour me suit et me remplit et me définit depuis très longtemps – oui, maman, me définit, même si je ne t'en ai jamais parlé, et que tu ne connais ni son nom ni son visage, mais tu ne vas pas me le reprocher, racontais-tu ce genre de chose à la tienne, de mère, toi? Non, c'est bien ce que je pensais, c'est trop fragile et trop précieux pour être évoqué entre la salade et le dessert, mais crois-moi sur parole, comme cet amour m'habite encore, je risque de ne jamais en revenir. Je vais me noyer avec lui dans les draps, je n'en émergerai que plusieurs semaines plus tard et encore, peut-être jamais, parce que pourquoi sortir du lit d'un homme qu'on attend depuis longtemps. Pas pour faire visiter des maisons, hein, maman? Bref, ce ne sera pas nécessaire que tu viennes garder samedi soir, je ne serai plus là, et Jim n'aura pas envie de sortir, quoique, justement, il aura peut-être besoin de se déchirer la face, de baiser la première venue et d'enfiler des shooters, qui sait, sans doute que tu garderas les enfants finalement, laisse-moi juste te confirmer tout ça.*

— Non, c'est tout.

— Bon. Bonne journée, alors.

— Bonne journée.

Bonne journée, je l'ai déjà souhaité ce matin à Philémon et à Boris en les regardant monter dans l'autobus scolaire. Boris a un cours de soccer à l'horaire, il était ravi. Il adore nager, courir, grimper. Il n'aura pas besoin de moi longtemps. Leurs silhouettes en contre-jour se sont installées dans l'autobus et ont échangé des poignées de main viriles avec leurs amis. Je les ai salués d'un geste discret. Ce sera la dernière fois *avant*.

Il fait un temps glorieux, un temps de fonte des neiges, de cuir et de bourgeons, un temps pour se déshabiller la fenêtre ouverte. Oscar a trottiné jusqu'à la garderie en sifflant, la nuque courbée de la même manière que celle de Jim, *mes trois garçons sont des répliques de leur père*, et il a gloussé en voyant ses amis – Édouard, Milos, Nana, les mêmes qu'il voit tous les jours, et, pourtant, sa joie ne vacille pas, il possède aussi l'indéfectible amour de Jim. *Bonne journée*, je lui ai dit, il m'a embrassée une autre fois, un long bisou insistant, et si je ne savais pas déjà qu'il prodigue son affection comme on distribue des journaux à l'entrée des métros, j'aurais pensé, *Il sait*.

Tout est normal, je me répète. *Tout est normal, mais ne le sera bientôt plus.*

Guylaine est contente. Elle ne comprend pas pourquoi je lui offre une inscription sur un plateau d'argent. «Seigneur, Ahuntsic-Ouest, c'est magique, les maisons sont-tu assez bien entretenues dans ce coin-là, moi, je trouve que ça attire une belle clientèle, du monde qui connaît la valeur des choses, parce qu'il y a ben des riches qui s'achètent des McManoirs de l'autre bord de la rivière, mais Ahuntsic-Ouest, c'est autre chose, les gens de goût veulent s'installer là. Ça te dérange-tu si je reformule un peu le texte de présentation?»

J'ai expliqué à Guylaine que je me délestais de certains contrats parce que je voulais un été relax, c'était le dernier avant l'entrée au secondaire de mon aîné, et nous avions envie de suivre Jim en tournée. Guylaine m'a crue. Elle a une fille de vingt-deux ans, et elles sont très liées toutes les deux (sorties régulières au spa, échange de vêtements et doubles dates avec leurs amoureux), je la soupçonne d'avoir trouvé en sa fille une amie avant tout. Ma tribu lui inspire de la peur et force son admiration à la fois. Elle fait grand cas de mes sacrifices. «Oh! T'es tellement une bonne mère, Tessa.» Je la laisse dire, parce que c'est très pratique lorsque vient le temps de me sauver d'un cinq à sept, ou d'une inscription compromettante à Ahuntsic-Ouest.

Je fréquente peu le bureau. J'ai beau collectionner pour Jim les anecdotes savoureuses à propos des conquêtes d'Agostino ou des odeurs corporelles de Jacques (spaghetti-sueur; *Eau Sauvage*), il reste qu'avec ses panneaux acoustiques, son éclairage sans douceur et ses tapis à motifs désespérants, cet endroit ressemble à mon tombeau. Je suis agente d'immeuble, mais ce n'est pas une raison pour m'en souvenir au quotidien.

Aujourd'hui, même le bureau semble différent. On pourrait croire que les fenêtres, pourtant impossibles à ouvrir, font entrer l'air printanier dans les cubicules, et je demande plusieurs fois à Voula, la réceptionniste, si l'éclairage a été modifié. «*No, it's just a gorgeous day.*» Ce *gorgeous day* rempli des promesses de mon rendez-vous secret me donne l'envie soudaine de leur acheter des fleurs, à tous. Ne méritent-ils pas quelque chose, ces besogneux acharnés, avec leurs cravates de soie et leurs vestons en tissus synthétiques, leurs chaussures à talons raisonnables et leurs coupes en dégradé? Après un concert, les solistes en reçoivent à s'en faire enterrer. Jim en rapporte parfois, un bouquet oublié par une diva surchargée. Mais elles ont chanté devant des centaines de personnes déjà charmées, vécu l'incomparable plaisir de faire vibrer leur voix dans l'enceinte d'une salle captive, de la déposer sur les couches fines et texturées produites par les musiciens qui les soutiennent, obtenu ce qui était le plus beau et le plus plein, déjà. Pourquoi leur offrir des fleurs? Les fleurs sont pour les agents d'immeuble et leurs réceptionnistes, terrés dans les bureaux blafards d'une franchise, de qui tout le monde se méfie et que personne n'aime vraiment, *Ils l'ont facile* et se *remplissent les poches*, ce n'est pas toujours faux, mais ça ne rend pas le travail moins lourd pour autant.

Si j'ai le temps d'ici midi, j'irai sur Beaubien chercher des bouquets de tulipes. J'en disposerai un sur le bureau de Voula et un autre dans la cuisine commune. Ce sera une sorte d'apaisement, un prix de consolation pour eux dont la vie ne changera pas aujourd'hui, ni demain, ni l'an prochain. Ce sera ma façon de leur dire, *Vous n'avez pas mon courage mais même les lâches ont droit à un peu de beauté.*

Il est onze heures trente quand je remets le pied dans la maison. Je n'ai pas voulu porter ma robe étoilée dès ce matin. Ce n'est pas que Jim aurait trouvé ça suspect. Il l'aurait trouvée belle, ou, plutôt, il m'aurait trouvée belle, moi dans ma robe, et il l'aurait dit, *Regarde Oscar comme maman est belle.* Oscar aurait souri à travers son Nutella et il aurait passé ses bras autour de mon cou; cette scène n'était pas envisageable pour moi. Alors j'ai fait comme d'habitude, je n'ai pas maquillé mes yeux ni frisé mes cheveux. Une matinée comme toutes les autres, où les gestes sont posés dans le même ordre, se lever, se vêtir, se nourrir, se préparer à partir, se séparer sur un palier, devant un autobus scolaire ou une éducatrice en garderie.

À onze heures trente je rentre à la maison – ça non plus, ce n'est pas inhabituel, jusqu'ici la vie ressemble à ma vie et je ne m'en affole pas, au contraire, il y a quelque chose comme de l'amusement dans ces réflexes tout à coup conscients, et en tournant la clé dans la porte je me dis, *Je fais mes adieux.* Je me suis tout de même assurée de l'absence de Jim. Il m'a dit hier soir, juste avant de sombrer dans un sommeil bruyant, que la répétition du lendemain lui pesait, qu'ils auraient une réunion ensuite, ça brasserait en raison des compressions annoncées, il serait encore obligé de jouer les arbitres. Jim se préparait à une journée de travail pénible, et je l'ai encouragé à dormir rapidement, *pour être en forme.* Il s'est assoupi avec une main sur ma cuisse. Je n'ai pas pensé plus longtemps à ses soucis. J'avais tout de même une fin du monde à planifier. Je suis celle qui souhaite détourner son avion, verrouille le cockpit une fois son copilote parti aux toilettes ; je débranche le cruise control, et m'en remets pour la suite à mon désir, ou à mon désespoir. Je ne retournerai pas en arrière, peu importe les supplications des innocents.

La robe étoilée m'attend sagement dans le placard. J'enfile des sous-vêtements noirs, rien d'exceptionnel, je ne m'en vais pas jouer à la belle fille. Je chausse les ballerines dorées. Je me maquille soigneusement, sans exagérer. Celle qu'il a connue a vieilli, il y a quatre jours à peine il l'a vue, mais ce sont quand même des retrouvailles. Mes cheveux, je les laisse tranquilles. Ils n'ont jamais fait qu'à leur tête et je n'ai plus le temps de sortir le fer. Il est onze heures cinquante. Dans quarante minutes, je serai devant chez Lenny avec Francis, et les oiseaux piailleront quelque chose comme *Always on My Mind*, version Pet Shop Boys, en nous enroulant dans des rubans de printemps, roses et bleus et définitifs.

Avant de quitter la maison, je m'arrête dans la cuisine et j'ouvre le frigo. Il y a du pain, du fromage, du jambon, de la moutarde, un peu de riz d'hier, un fond de volaille, un demi-chou rouge. Ils pourront se préparer des croque-monsieur, une soupe ou une salade de chou. Ou se commander quelque chose, s'ils n'ont pas envie du reste. De toute manière, mon éclipse est provisoire, je reviendrai transformée, c'est ce qu'ils disent partout, n'est-ce pas? qu'il faut être heureux pour rendre les autres heureux, qu'il faut s'aimer pour aimer? Ces enfants auront une mère transformée et diront, *Merci maman de t'être transformée, nous sommes heureux.*

Nous ne sommes jamais vraiment allés chez Lenny, Francis et moi. Le soir où nous nous y sommes aventurés, il n'était pas là. Septembre faisait alors le même effet que le juin de notre première nuit, et Francis avait l'œil chargé de miel. Il avait bu plus que d'habitude, il faut dire. Nous avions calé une bouteille de vin bon marché dans un restaurant à quelques rues de là, et voulions boire encore, une fois assis sur le banc du parc en face de chez Lenny. Francis a couru au dépanneur, son pas mal assuré le faisait trébucher de manière adorable, puis est revenu avec quelque chose de sucré et acide, le genre de vin dont l'odeur seule suffit à provoquer une migraine, mais qui, à cette époque, se buvait comme de l'eau. C'était vendredi soir, Saint-Laurent grouillait de monde, et il faisait bon regarder les voitures et les commerces de la rue s'illuminer à mesure que la soirée avançait. Chez Lenny, pas de lumière.

— C'est vraiment ici?

— Oui.

— Comment tu sais?

— Toute Montréalaise qui se respecte le sait.

— Ça te va pas bien, le mépris.

— Ça te va pas bien, le paternalisme.

Francis a ri, puis il a enfoncé le goulot de la bouteille dans ma bouche, en guise de représailles. Le vin a coulé le long de mon menton, et quelques gouttes ont atterri sur ma robe de lin bleu pâle. Le lendemain, la robe gisant sur le plancher de ma chambre serait remise sur un cintre et oubliée dans la penderie. Je ne la retrouverais que quelques mois plus tard, après notre rupture, les gouttes de vin séché se liraient comme le sang d'une blessure, et j'en pleurerais toute une soirée.

Mais, pour le moment, Francis et moi avions les yeux rivés sur une maison de pierre nichée entre un triplex et une ruelle, devant le parc du Portugal, et nous tentions de deviner à quelle pièce correspondait chaque fenêtre.

— Ça doit être son salon, là.

— Ou sa chambre.

— Sa chambre donne sûrement pas sur la rue.

— Sauf si elle est en haut.

— Penses-tu que ses enfants ont encore la leur?

— Ils ont quel âge?

— Je sais pas. Ton âge.

— «Ton âge»? Sale garce.

— Hé, hé! Les nerfs, papi.

— En tout cas. Il est pas sorteux, Lenny.

— Ça fait des années que je passe le plus souvent possible devant chez lui, mais je l'ai jamais vu. J'ai mangé huit cents fois au Bagel Etc... dans l'espoir de le croiser. Il fréquente le Beauty's aussi, il paraît. Mais là non plus, rien. Avec Sophie, on s'en faisait des missions.

— Et tu lui dirais quoi, si tu le voyais?

J'ai haussé les épaules. *Là n'est pas la question*, j'ai pensé, étonnée qu'il ne l'ait pas compris d'emblée. Je ne me suis pas expliquée. Nous avons vidé la bouteille et titubé jusqu'à mon appartement, où nous avons fait l'amour mollement, sans éclat. Il faisait chaud, nous étions saouls.

Pliée en deux sur ma robe tachée, j'aurais le souvenir distinct d'une soirée sublime, parfaite, avec au cœur la douleur hurlante d'avoir été chassée du paradis.

Aujourd'hui, la maison de pierre me semble plus petite, mais plus droite. Sur le banc qui lui fait face, deux hommes, casquettes de golf grises sur la tête et vêtus de coupe-vent, bavardent en portugais. Une quinte de toux interrompt parfois leur conversation, puis ils la reprennent là où ils l'ont laissée.

Je ne devrais pas l'appeler Lenny. Mardi, au téléphone, j'ai trouvé cette expression décalée, presque gênante. Je ne connais pas cet homme, après tout. Et j'ai passé l'âge d'être aussi familière. Alors que je suis assise sur les marches du pavillon du parc du Portugal, à fixer les tuiles de céramique ouvragées, mon regard ne sait pas où se poser, *pas vers la rue, s'il arrive il me verra le chercher, et j'aurai l'air d'une oie affolée, mais pourquoi n'ai-je rien apporté à lire, pourquoi ai-je voulu arriver avant lui, sur le coup ça semblait une bonne idée, ça me protégeait d'une certaine manière, je m'arrogeais le territoire; viens si tu l'oses, Francis, je suis ici, je n'ai pas peur, moi.* Il reste encore dix minutes avant l'heure du rendez-vous, et je voudrais faire le tour du pâté de maisons, personne ne saura que j'étais là, les deux vieux Portugais n'en diront rien, qu'auraient-ils à dire d'une mère de famille en robe d'été étrennée prématurément? Je pense me lever mais mes jambes ne m'obéissent pas. La faute au temps frisquet – *Cette idée de sortir sans collants, on est en avril, idiote –*, ou alors c'est l'ombre de cette idée qui vient de poindre, aussi sombre qu'elle est définie, *Rien de tout ceci n'a de sens*, elle me chuchote que ça ne réglera rien, que ma robe étoilée est crevante de ridicule, et que personne, pas même Francis et encore moins Lenny, n'échappera à l'inéluctable. Puis il est là, dans le parc, il se fait un pare-soleil avec la main, d'ici quelques secondes il m'aura repérée, il est trop tard pour partir, *mais tu voulais y aller, tu t'es acheté une robe, qu'est-ce que tu espères donc, imbécile?* maintenant il s'avance avec le sourire du petit garçon qu'il a été, et tout disparaît – mes certitudes comme mes peurs, le parc qui n'est qu'un square, les vieux Portugais et les tuiles ouvragées, et la belle maison de pierre de Leonard Cohen.

J'ai tout à fait froid. Mes ballerines perforées laissent passer l'air entre mes orteils, et j'ai beau boutonner mon trench et en remonter le col, je gèle. Francis, lui, est venu en vêtements d'hiver. Il porte une veste de ski matelassée couleur sarcelle, à mi-chemin entre le look d'un chef d'entreprise en vacances et l'uniforme d'une horticultrice chevronnée. Il n'a pas oublié ses gants ni son foulard. *Jim oublie toujours son foulard, lui.* Je m'aperçois que ce travers me remplit de fierté; je suis sans doute plus tordue que je ne suis prête à l'admettre. Je dépose mon sac à main sur mes genoux, histoire de créer une barrière de plus entre le vent et moi.

— Le refroidissement était à prévoir.

Tout est là, le sourire dans l'œil, la musique ironique dans le ton: Francis me taquine. Mais quelque chose dans sa phrase n'arrive pas à rebondir, et je me surprends à chercher une réponse.

— En avril, ne te découvre pas d'un fil.

C'est ce qui m'est venu. Et je l'ai dit. *En avril, ne te découvre pas d'un fil,* tabarnac. La nervosité, sans doute. Il faudra du temps et un peu d'alcool pour me délier. En attendant, nous avons la météo et les souvenirs de plus en plus flous des étreintes passées pour seul liant.

— Je savais pas si je viendrais.

— Moi non plus.

— Mais t'es là.

— Toi aussi.

— On est là tous les deux.

— Chez Lenny.

L'expression m'agace encore. Même ma mère tiquerait, *Est-ce comme ça qu'on le nomme chez les happy-few?* Et je grimacerais en lui répondant, *Personne ne dit* Lenny, *maman, mais personne ne dit* happy-few *non plus.*

— Il est pas là, tu sais.

— C'est la vie.

Qu'est-il arrivé à mon sens de la répartie? Où sont les badineries qui, il y a trois jours encore, devant sa porte, sourdaient de nous comme l'eau d'une digue qui saute?

— On va boire un verre?

— Probablement une bonne idée.

C'est lui qui propose, moi qui acquiesce, déguisant ma nervosité en légèreté chantante. Les deux vieux Portugais nous suivent brièvement des yeux lorsque nous passons devant leur banc. Je pourrais me flatter et croire que c'est à cause de mes jambes nues. Je pourrais aussi penser qu'ils en ont vu d'autres, experts qu'ils sont en rendez-vous amoureux du parc du Portugal. Ils savent déjà que le nôtre sera catastrophique. *On pouvait le voir à la démarche du monsieur, en diagonale, ça l'éloignait d'elle*, dirait l'un, en portugais. *Non, c'était dans la façon dont la dame a replacé une mèche derrière son oreille, comme un enfant se joue dans les cheveux pour tromper l'ennui*, dirait l'autre, aussi en portugais.

Je n'ai pas mis les pieds dans ce lieu depuis des années. Je ne fréquente pas souvent les bars de toute manière, mais ceux où je vais s'abstiennent habituellement de laisser les clients lancer les écales d'arachides par terre. Dans celui-ci, la maison tient depuis toujours à ce qu'on puisse le faire, tout comme on persiste à n'y servir que de la bière, du fort et de la piquette. *C'est un bar, à quoi tu t'attends?* Je l'ignore, mais je m'étonne de constater, au moment de prendre place près de la fenêtre (N'aurait-il pas été mieux de s'installer discrètement au fond, près des tables de billard, comme les amants que nous serons bientôt?), que malgré les regards d'envie que j'ai pu jeter vers sa clientèle oisive alors que je roulais en voiture d'un rendez-vous à un autre, de la garderie à l'école ou d'une SAQ à une boucherie, cet endroit n'évoque, pour moi, plus rien d'excitant. Les murs peints en noir ne dissimulent pas leur âge et leur manque d'entretien. La clientèle clairsemée a le dos rond et la conversation banale.

— J'ai passé une soirée ici, une fois.

— Une seule?

— Je veux dire, une mémorable. Je t'ai jamais raconté?

Francis cherche le serveur des yeux, mais celui-ci nous fait dos, occupé à ranger des bouteilles de bière.

— Tu veux que j'aille commander au bar?

Francis pose la question avec aplomb, presque avec empressement, et il appuie déjà ses mains sur la table pour se lever.

— Il va bien finir par nous voir.

Mon ton s'est fait sec, un claquement de doigts. Ça ne se voulait pas un reproche, *sérieux, moi aussi j'en ai besoin,* mais l'écho de ma brusquerie flotte un instant entre nous.

— Je veux raconter mon histoire.

Je sors mon sourire enjôleur de petite séductrice, je ne l'ai à peu près jamais servi à personne, sauf à Jim après un verre de bulles. Ce que je ne serai pas aujourd'hui, c'est une marâtre. Francis s'avance sur sa chaise, déridé. Je l'ai eu.

— J'avais seize ans mais l'air de vingt.

J'ai envie d'ajouter, impitoyable, *Comme mainte-nant, j'ai trente-sept ans mais l'air de quarante, et pas le quarante actuel, celui des années soixante.* Mais je briserais l'effet du sourire enjôleur, n'est-ce pas.

— Tu sortais dans les bars à seize ans?

— Tout le monde le faisait, Francis. C'est pas ça la partie intéressante.

Il se retourne vers le zinc. Le serveur nous fait toujours dos.

— J'avais un kick sur un garçon beaucoup plus vieux.

— Quel âge?

— Vingt-quatre? Vingt-six?

— À seize ans?

— Ça non plus, c'est pas la partie intéressante.

— Ah non?

— T'es sûr que je t'ai jamais raconté cette histoire?

— Je pense pas.

Une image me revient. Francis et moi, nichés au creux de mon lit de jeune adulte. Dans l'air épais et suintant de juillet, je lui raconte cette anecdote en riant, il me trouve adorable, et j'oserais même ajouter – c'est pour cette raison que je m'en souviens, sans doute – que *je* me trouve adorable, *comme il est bon d'avoir quelque chose à raconter.*

— Je l'avais croisé à la réception de Noël de la compagnie de mon père. Il faisait le serveur. Tout ce que savais de lui, c'était son nom et son champ d'études. Quand je suis allée chercher mon manteau, avant de partir, il m'a tirée dans un coin du vestiaire et m'a embrassée à pleine bouche.

— Shit, horrible.

— Tu veux dire merveilleux. J'attendais de vivre ce genre de frisson depuis mon secondaire trois. Ça m'a habitée pendant des semaines. Tellement que j'ai décidé de le retrouver. Je connaissais son université et sa faculté, j'ai carrément écrit une lettre à la professeure, directrice du département, une lettre très polie où je prétextais un lien de parenté distant avec le garçon et, dans l'enveloppe, j'avais inséré une autre lettre, cachetée, qui lui était adressée. Je lui disais que j'aimerais le revoir, qu'il rirait probablement de moi mais que je m'en voudrais de ne pas avoir tenté ma chance. Un mois plus tard, il m'a appelée!

— Un fou dans une poche.

— Il m'a donné rendez-vous ici, j'ai inventé pour ma mère une soirée d'études chez Sophie, et voilà.

— T'avais pas peur que ce soit un maniaque?

— C'était moi, la maniaque.

— Qu'est-ce qui s'est passé?

— Kurt Cobain venait de mourir. J'avais écrit un article là-dessus avec Sophie pour le journal de l'école. Tu te souviens de mon amie Sophie, non? Un truc larmoyant, entier, super maladroit. Je l'avais apporté et je le lui ai montré, j'en étais tellement fière. «"J'ai trop d'empathie pour l'humanité", a mentionné Kurt Cobain dans la note qu'il a laissée à sa femme, Courtney Love. Pour notre part, nous promettons de l'honorer en continuant d'écouter sa musique, et ce, pour toujours.»

— Tu lui as montré ton article d'élève du secondaire?

— Je sais. Pas la meilleure stratégie de séduction. Il s'est senti très vieux, tout à coup, et s'est mis à jeter des coups d'œil nerveux autour de lui, paniqué à l'idée qu'on vienne l'arrêter pour détournement de mineure. Un peu comme toi, en ce moment.

— Moi? Je jette aucun coup d'œil nulle part. À part au serveur qui nous ignore.

— Mm.

— Quoi, mm?

— Mm.

— Vous êtes pas correctes, les femmes. Vous militez pour la communication jusqu'à plus soif, mais vous aimez rien comme le mystère.

— Je vais aller commander. Une bière?

Les femmes. Les femmes, vous ceci. Les femmes, vous cela. En marchant vers le bar vide, je cherche une réponse à la généralité que Francis vient de lancer. Avant, je n'aurais pas eu de mal à répliquer, à le brasser, à le faire rire avec mon entêté sens de la répartie. Ce jeu fait partie de nous. Alors pourquoi les mots d'esprit ne me viennent-ils plus? *Les femmes te remercient pour ton observation. Les femmes remercient les hommes pour l'observation qu'ils viennent de faire, elle contribue à l'évolution des rapports entre les sexes. Je contacte de ce pas la Chaire en études féministes de l'UQAM pour qu'on organise un colloque sur cette découverte importante.* Pourquoi pas? Pourquoi, à la place, me suis-je levée d'un bond pour aller commander au bar? Suis-je en train – et la réponse à cette question me broie le cœur de déception – de m'ennuyer?

Ce qui est étrange, c'est que j'ai beaucoup parlé à Francis, dans ma tête, depuis quinze ans. Il a assisté à la résolution de plus d'un conflit intérieur. Il suffisait de l'invoquer pour que tout mon fiel magnifique revête son plus beau costume à paillettes et s'empare du micro. Je l'imaginais s'amuser de mes tirades assassines, et il se délectait de la décomposition virtuelle de mes adversaires – ce conducteur sauvage sur la 40, le surinvestissement de cette mère au conseil d'établissement de l'école, ces anciens amis restés artistes dont l'étoile, malgré leur médiocrité, s'entêtait à ne pas pâlir – je n'épargnais personne et mon public m'adorait. Francis m'a répété si souvent qu'il aimait mon esprit tordu. Lui et moi contre ce monde pourri peuplé de moutons et de vendus, blabla, blabla. Mais ces versions de nous n'existent plus.

N'est-ce pas d'une éclatante évidence? Est-il encore possible que ce soit lui, mon amour torrentiel? Ses cheveux grisonnants mais surtout clairsemés – en fait, pas tant clairsemés que duveteux, une tragi-comédie qui arrive aux hommes vieillissants, les faisant ressembler pendant un temps à des canetons, inoffensifs comme de la barbe à papa – ses cheveux changés, en tout cas, et puis les vêtements, ceux-là mêmes qu'il aimait à l'époque, mais qui désormais lui donnent un air tristounet, ce Francis réel, en somme, que vient-il faire dans mes délires? N'est-il pas aussi ridicule que moi dans mon costume de matrone dépressive?

N'a-t-il pas, autant que moi, douloureusement honte?

Ne sommes-nous pas les tristes, tristes clowns d'un sketch éculé?

— Pour ton chum, c'est plein prix, mais pour toi, c'est gratuit.

À contre-jour, je vois mal le barman qui lance cette phrase depuis sa caisse. Un grand corps maigrichon, une voix à l'élocution molle et rieuse. Je sourcille, sa remarque est débile.

— Salut, Tessa.

Je me déplace légèrement sur la gauche, pour qu'il soit dans le bon angle de lumière. Anthony. Le garçon luisant et tétanisé de la Camry de mon père a vieilli – il a près de trente-cinq ans – et me dépasse d'une tête. Son sourire recèle une relique d'enfance, et il a toujours une casquette de baseball vissée au crâne, mais, de l'extérieur, on ne peut pas se tromper, ces deux personnes qui se reconnaissent sont un homme et une femme plus tout à fait jeunes.

— Anthony. Ça fait longtemps.

— Nos parents se sont quittés le jour de l'anniversaire de mes quatorze ans. Ça va bientôt faire vingt et un ans.

— J'avais oublié, c'était ta fête. C'est terrible.

— Oui, c'était pas très élégant de la part de ton père.

— En effet.

— Il avait quand même pensé à acheter des chips pour mon party. Pis ma mère a compensé en triplant ma quantité de cadeaux. C'était pas si pire.

Anthony montre les dents, brièvement. Il est devenu âpre, comme nous tous.

— Je te sers quoi?

— Deux bières, merci.

— J'ai su pour ton frère.

— Oui.

Il sort deux bouteilles de bière blonde, hollandaise ou belge, ça n'a aucune importance, ni pour moi ni pour lui. Je n'ai pas pensé demander à Francis ce qu'il préférait.

— J'ai vu ton nom sur une pancarte.

— Ha. Oui. Ma gloire.

— Je suis content pour toi.

— Toi, ça va?

Il me parle de sa petite famille, dégaine le cellulaire pour montrer ses photos, un garçon une fille une amoureuse, des cours de karaté et de ballet, des projets de déménagement sur la Rive-Sud, de vacances dans le Nord. Anthony est heureux. Je lui parle des garçons, de l'expo-sciences, de la vie dans Villeray, de l'orchestre de Jim, de mes parents qui vont bien, merci. Francis, à la table, consulte son téléphone pour se garder occupé. Anthony me tend les deux bières, refuse de me faire payer. J'insiste; lui aussi. Nous savons tous les deux que la conversation s'étiole et qu'il vaut mieux y mettre fin. J'accepte les bières.

— C'est pas lui, mon chum.

Anthony soutient mon regard un instant. Je ne pars pas tout à fait, juste un pied de recul, une passagère qui veut rester debout quand l'autobus freine brusquement. Ai-je l'espoir qu'il m'apprenne quelque chose? Qu'il me révèle ce qu'il a vu de moi, assise à une table avec un homme qui n'est pas mon chum, un vendredi après-midi de printemps, une robe de fillette sur le dos? Évidemment, Anthony ne m'a pas vue depuis vingt ans – peut-être croit-il que je porte des robes étoilées tous les jours et voit-il la même chose que moi lorsque je me croise dans le miroir: une petite chialeuse qui a beaucoup vieilli. Peut-être est-il déjà impatient de rentrer chez lui pour raconter à sa femme, *Tu te souviens la chipie dont je t'ai parlé, la fille d'Yves, avec qui ma mère a vécu dans les années quatre-vingt-dix, celle qui a passé toutes les vacances de l'été 93 à essayer de m'humilier pis qui chiait sur les cadeaux de ma mère? Elle est venue au bar aujourd'hui, attriquée comme une piñata, avec un homme qui regardait sa montre. Il y a peut-être une justice, finalement.*

— Fais-moi signe si t'as besoin de quelque chose.

Il ne dit que ça. Pas de méchanceté, pas d'amusement dans la voix, aucun indice qui puisse me faire penser qu'il me souhaite du mal, *fais-moi signe*, c'est tout. Il me sourit, même, quelque chose de distinctement généreux dans les pupilles. *Perds-toi pas*, qu'il pense peut-être. *Chez vous, c'est vers le nord, après le viaduc, après la Petite Italie, tout près du parc Jarry. Monte Saint-Laurent pis marche sans t'arrêter, marche jusque chez toi, c'est en ligne droite, c'est pas difficile, tu penses que c'est ici, l'aventure? L'aventure, c'est tes pieds. Prends ton manteau, sors, marche, passe Mont-Royal, Laurier, Bernard, Beaubien, Dante, passe De Castelnau, c'est en ligne droite, Tessa.*

Ça, c'est moi qui le pense.

J'apporte les bières à notre table, tends la sienne à Francis, nous en buvons des gorgées et les langues se délient, un peu, et les rires fusent, quand même, et c'est agréable, ce jeu, cette valse. Mais sans doute l'est-ce seulement parce que d'ici une heure j'aurai quitté Francis pour marcher vers le nord, je le sais, et je n'attends que ça.

Il ne met pas de temps à finir sa bière. Quelque chose comme une nervosité – ou une violence – le pousse à la boire par gorgées saccadées, sans jamais la déposer. Moi, je bois à grandes rasades, comme après un déménagement au mois de juillet, avec la satisfaction de ne plus rien attendre de cette journée. Il faudra bien que je le lui dise, et je redoute ce moment. Je l'appréhende de la même manière que je craindrais d'appeler l'école du quartier pour annoncer qu'un établissement sélect a accepté la candidature de notre enfant et qu'il ne reviendra plus dans sa classe, désolée, au revoir. Un peu de culpabilité, suivie d'une euphorie presque indécente. Nous voilà débarrassés. Me voilà débarrassée de cette ombre qui me poursuit depuis une semaine, de ce spectre de malheur qui a voulu me faire miroiter son foutu univers parallèle; or, Francis et moi vivons dans le même univers, dans la même *ville*, et mon existence avec lui n'aurait été qu'une variation de celle que j'ai réellement vécue jusqu'ici, ce qui n'aurait pas changé, c'est moi, et ça, je n'y échapperai pas. Si cette idée me pèse assez pour me lancer dans les robes et les testaments sentimentaux, elle ne m'accable plus autant que celle d'avoir cherché refuge dans un bar défraîchi du boulevard Saint-Laurent, un vendredi après-midi.

Francis dépose sa bouteille au moment où je prends ma quatrième gorgée.

— En veux-tu une autre, toi?

Sa question est précipitée, ses yeux cherchent Anthony, qui jase avec des clients. Je remarque ses mains sur la bouteille. Il a les doigts fins et courts d'un garçon, la peau lisse et presque entièrement dénuée de marques. Ni taches de rousseur, ni poils, ni plaques rougies par le travail ou les intempéries. Ses mains fascinent, des mains de plâtre. Subitement, Jim me manque, et mon besoin de le voir et de le toucher devient aigu, impératif.

Il y a un peu plus d'un an, Boris s'est ouvert le genou en sautant d'un tremplin au cours d'une sortie scolaire. Il a eu si mal qu'il a perdu connaissance dans l'eau. Quelqu'un l'a sorti de la piscine rapidement, mais il a été transporté à l'hôpital, et pendant quelques heures – heures atroces, impuissantes – nous sommes restés tétanisés par la peur de le perdre.

Le personnel de l'école avait réussi à joindre Jim en premier. J'étais à un rendez-vous, un acte de vente pour une propriété surévaluée du boulevard Gouin. En sortant, j'avais pris mes messages, et mes doigts s'étaient mis à s'engourdir, comme quand je posais mes mains sous mes cuisses, enfant, et que je les en extrayais ensuite.

Jim m'attendait à l'hôpital. Je cherchais Boris dans tous les recoins, et Jim a dû poser ses deux mains sur moi pour que j'arrête de tournoyer. Il m'a décrit l'accident puis m'a assise sur une chaise droite, dans le corridor, il est allé chercher du chocolat et, quand j'ai tourné la tête, ma mère était là, à mes côtés, les deux mains accrochées à son sac à main, comme une petite vieille, *Ma mère a rapetissé*. Je ne sais pas qui l'avait appelée. Jim, certainement.

Il m'était insupportable de laisser mes pensées vagabonder vers les scénarios possibles. Je me suis concentrée sur les mains veineuses de ma mère, légèrement tavelées de brun, agiles et sans tremblements, mais qui s'accrochaient néanmoins à ce sac, près de la couture, là où le cuir teint en rouge s'était élimé au fil des manipulations. C'était un sac que je connaissais depuis longtemps, peut-être le lui avais-je offert pour une fête des Mères, un anniversaire, Noël, je ne savais plus, mais ça faisait longtemps, et il était usé. L'envie soudaine m'a prise de le lui enlever, de le vider sur le plancher et de le jeter aux poubelles. *Va t'acheter un nouveau sac, maman. Ce fantôme de sac me pèse.* Une de ses mains s'est posée sur la mienne – elle râpait le tissu de mon pantalon sans discontinuer –, et le contact m'a immobilisée. «Boris est fait fort. Il va s'en sortir.»

Quand notre mère nous dit que notre fils est fait fort et qu'il va s'en sortir, on ne conteste pas, on fait oui de la tête et on la croit. Mais j'ignorais si Boris était fait fort. Il le fallait, je suppose, pour devenir le deuxième enfant d'une femme aussi triste, pris en étau entre un aîné stellaire et un benjamin solaire, il fallait l'être pour n'avoir manqué aucune journée de classe à cause d'une maladie. Boris avait bien attrapé l'occasionnel rhume, la petite fièvre d'hiver, mais jamais je n'avais reçu d'appel de l'école. *Madame? C'est la secrétaire. Votre fils se sent pas bien. Votre fils a vomi dans le corridor, l'éducatrice le trouve chaud. Votre fils tousse pas mal creux. Pouvez-vous vous venir le chercher?* Non, pas Boris. Boris répandait partout son linge sale, imbibé de sa sueur de petit sportif. Il conservait ses constructions Lego pendant des mois sur sa table de chevet. Il était un exégète de Marvel et de DC Comics. Boris avait un appétit vorace, insatiable. *Il mange comme un ado à sept ans. Ce sera quoi à quinze?* Secret et insulaire, il aurait bientôt huit ans, et c'est avec une horreur absolue, tandis qu'il reposait aux soins intensifs, que j'ai constaté que je le connaissais à peine. «Tu le connais mieux que personne. Tu sais qu'il va s'en sortir.» M'avait-elle entendue penser? Paule m'a tapoté la cuisse, deux ou trois petits coups faiblards, comme on flatte distraitement la tête d'un enfant qui nous parle depuis trop longtemps. *Je sais rien du tout, maman. Je me suis trompée tellement souvent. Je sais rien de ce qu'il faut faire pour élever des enfants et les empêcher de mourir. Je sais pas quelle vie je mène ni pourquoi.*

Jim est réapparu, il m'a tendu le chocolat, il a pris ma mère dans ses bras. Ils ont discuté à voix basse, on aurait dit que je dormais près d'eux ou que nous étions à l'église. Pourtant, dans l'interphone de Sainte-Justine, il n'y avait pas de délicatesse, pas de *sotto voce*. Pas de douceur dans le grincement des roues des chariots. Pas de beauté qui appellerait le silence. J'ai donc repris la parole, moi aussi, avec bruit: «Pourquoi on peut pas attendre devant la chambre?»

Jim s'est tourné vers moi – mon intervention les avait fait sursauter – avec une sorte de fureur dans l'œil, celle des jours où je suis injuste avec lui. «Parce qu'on les dérangerait. Parce qu'ils ont une job à faire. Je vais pas les empêcher de faire leur job au moment où ils sont en train de sauver la vie de mon fils.»

Ma mère a inspiré longuement, sans expirer ensuite, une habitude que je remarque chez elle depuis l'enfance, une sorte de soupir inversé dans lequel elle se remplit mais ne se vide jamais, et qui, d'habitude, m'agace profondément, me laissant prisonnière de son souffle coupé. Cette fois je l'ai imitée, j'ai avalé les mots de Jim et sa sévérité passagère, et, au même moment, un médecin est venu nous voir pour nous guider vers notre fils.

J'ai d'abord été surprise par la banalité du lieu. J'avais passé les dernières heures à imaginer une pièce verdâtre sans fenêtres, recouverte de tuiles de céramique, comme une salle d'opération d'un autre temps, et Boris couché sur une table de métal – froide, dure – ses petites épaules nues blanchies par l'éclairage d'une lampe trop forte. La chambre était plutôt pourvue des mêmes murs roses que l'unité des naissances, et un lit presque douillet était placé près d'une fenêtre. Boris était étendu sous plusieurs couvertures, la tête tournée vers l'extérieur. Le soleil descendait, et la pièce baignait dans une lumière orangée, ses cheveux paraissaient rouges (ils sont si courts, je l'ai imploré de les porter longs dans toute leur splendeur cuivrée, mais Boris n'aime pas avoir à dégager son visage, il les garde courts comme un athlète professionnel depuis ses cinq ans). Il a respiré lentement, les bras enfouis au chaud, et a cligné des yeux à intervalles réguliers, comme s'il obéissait à une consigne.

La dernière fois qu'il avait visité cet hôpital, c'était pour la naissance d'Oscar. Il avait dessiné une famille sur du papier construction avec ses crayons-feutres à parfum de fruits. La feuille s'était fendue légèrement, et Boris avait gribouillé nos noms sous nos silhouettes : « papa, maman, Philémon, Boris, bébé ». Jim, Philémon et moi étions des géants ; lui, un oiseau sur l'épaule de Jim. Et Oscar, au milieu, était une puce dont les très longs bras faisaient le tour de nous tous.

Son séjour précédent, c'était pour sa naissance à lui.

« Boris ? » Il a tourné la tête lentement, et sa bouche a tressailli. Un court instant, j'ai eu l'impression qu'il ne nous reconnaissait pas, qu'à ses yeux nous étions devenus des étrangers, bienveillants certes, mais étrangers tout de même. J'ai pensé avec terreur, *Il connaît ce regard. Il l'a vu dans mon œil.* Mais bientôt ses yeux se sont ouverts plus grand, et cette irrésistible lumière héritée de Jim a rempli son visage. « Maman. » Le mot a agi comme un détonateur, bien vite je me suis penchée sur lui pour le couvrir de baisers, j'ai retenu mes questions puis non, je lui ai demandé s'il avait faim, s'il avait soif, s'il avait chaud, s'il avait peur. Jim a posé une main sur mon épaule, et je me suis tue, même si elle ne me commandait pas de me taire, elle ne faisait qu'endiguer la marée. J'ai fermé les yeux, et l'air retenu dans mes poumons depuis des heures m'a enfin quittée.

«Je m'excuse.» Boris, tout petit dans son lit d'hôpital, s'excusait. Jim a bondi et a mouillé son front de ses larmes en lui jurant qu'il n'avait aucune raison de s'excuser, Boris a fait oui de la tête mais il pleurait aussi, il a expliqué qu'il avait *pas voulu faire le con*. «Mehdi et Paul ont dit que j'étais pas game de sauter du troisième tremplin, et c'était peut-être vrai mais comment on fait quand on n'est pas game de faire quelque chose, je pensais que j'avais pas le choix, je me suis cogné le genou sur le tremplin, je sais même pas quand j'ai touché l'eau, je m'excuse, je m'excuse vraiment.»

Jim l'a entouré de ses bras, lui a répété qu'il n'avait pas d'excuses à faire, et ce que j'entendais, c'était sa colère. J'entendais son indignation d'homme bon éclater les heures qu'il avait passées à se reprocher de n'être pas plus bruyant ou moins loyal, de n'être que ce bon vieux Jim, tromboniste dans un orchestre respectable, bon père et bon collègue, bon mari et bon voisin, lui qui avait cultivé l'humilité et le sens des responsabilités toute sa vie, *crisse, depuis l'enfance*, et il en avait récolté des fruits honorables, il aimait, il aimait, *Je t'aime Tessa, je t'aime tellement*, mais il continuait pourtant de se réveiller tous les matins avec au creux du ventre une boule de frayeur et une envie irrépressible de s'excuser. *Ce Jim-là a cessé d'exister.*

Père et fils s'abandonnaient à des larmes exquises et, maintenant, devant les mains si propres qu'on les dirait gantées de Francis, devant ses ongles blanchis à force de serrer si fort sa bouteille, tout devient parfaitement clair.

La phrase sort toute seule, d'une traite:

— Je pense pas, non. Je vais y aller bientôt.

Francis n'insiste pas. En fait, je le soupçonne d'être soulagé. Ses doigts libèrent la bouteille, et il s'empresse d'aller payer.

— Je t'invite, c'est la moindre des choses.

La moindre de quelles choses, je me le demande, mais ça ne change rien; Anthony nous a déjà offert la tournée. Je passe aux toilettes. Assise dans le cubicule tapissé de vingt ans de graffitis, les yeux plantés sur mes ballerines dorées et ma robe remontée, je laisse échapper un rire étrange, un cri d'oiseau qui s'étonne, *Quand même. Ça fera une bonne histoire à raconter à Sophie.* Je me lave les mains soigneusement, et le parfum de gomme balloune du savon m'écœure et m'attire à la fois. Un coup d'œil dans le miroir, mais furtif, rapide. Je ne suis plus intéressée à savoir ce que Francis voit lorsqu'il me regarde.

Il est déjà dehors. Je traverse le bar et salue Anthony de la main. Pense-t-il que nous partons parce qu'empressés de nous enfermer dans une chambre d'hôtel quelque part? Ça aussi, je m'en tape. Francis a-t-il seulement réservé une chambre? Je ne le lui demanderai pas. Je serais flattée, évidemment. Et c'est tout.

Je pousse la porte du bar. Francis se tourne vers moi, le petit vent de printemps fait se dresser ses cheveux et, l'espace d'un instant, il paraît aussi juvénile qu'au moment où je l'ai vu traverser le chantier d'étudiants d'Ottawa. *Et c'est tout.*

— Tu veux que je te dépose?

— Non, je vais marcher.

— Jusqu'à Villeray?

— C'est pas difficile.

L'étreinte est courte et fatiguée. J'ai imaginé pendant des jours – des années plutôt, puisqu'il faut être honnête – que nous serions aimantés dès la première seconde, que nos doigts se chercheraient, que dans ses bras plus rien ne résisterait à rien, l'histoire se répéterait comme elle sait le faire, c'était ça, la fièvre au téléphone, les mains qui tremblent à la natation, les sanglots entre les draps, ça que j'attendais. Dans son accolade mal ajustée, une pièce de Lego qu'on tente d'imbriquer dans un morceau d'une autre marque, je ne sens de Francis que le tissu sportif de son manteau et l'odeur de glace fondue de son foulard.

— So long, Marianne.

Je souris, sans les dents.

— On se rappelle?

Je fais oui de la tête, parce que, c'est vrai, il est possible qu'on se rappelle, je vends sa maison après tout, mais en même temps que ma tête fait oui, il y a mes yeux qui disent *See you never, alligator*, et il le sait, et je le sais, et c'est parfois comme ça que finissent les histoires d'amour, même les plus persistantes.

Ma première vente a été un duplex vétuste converti en édifice à condominiums sur la rue Drolet, à la hauteur de Faillon. Rien de très ambitieux. Deux vieux appartements qu'on avait remodelés en trois unités. Les vendeurs, un couple de musiciens de l'orchestre, avaient acheté l'immeuble un an plus tôt, pour le faire rénover. J'avais obtenu ma licence deux mois auparavant, et je venais tout juste de joindre les rangs d'une franchise de courtiers. Nos amis avaient éclaté de rire lorsque je leur avais annoncé mes intentions. Ils se tapaient les cuisses quand j'expliquais le déroulement de ma formation, et se roulaient à terre lorsque j'hésitais à voix haute entre telle ou telle bannière. «Arrête de raconter n'importe quoi! Tu retournes enfin à l'université, c'est ça?» Mais j'avais bel et bien suivi les cours, puis passé l'examen final haut la main. Dès lors, on avait cessé de rire, et n'avait plus abordé le sujet qu'avec une politesse embarrassée, comme si j'étais une parente distante à qui l'on fait la conversation par devoir. Personne ne m'a plus parlé de musique. Jim, lui, n'avait jamais ri. Il s'était contenté de dire: «On pourra s'organiser des rendez-vous secrets dans les appartements vides?»

Lorsqu'il avait appris que des collègues cherchaient à vendre leur unité, il avait trouvé l'occasion parfaite; l'immeuble se trouvait dans notre quartier, où le marché promettait. Philémon avait cinq ans, Boris, tout juste trois. J'étais restée auprès d'eux depuis leur naissance. C'était un bon moment pour reprendre le collier. Peu importe ce que ce collier était, aurait dû être, ou ne serait jamais.

Ils m'ont montré des photos du duplex d'origine. Il était croche et fascinant, avec sa salle de bain Art déco (céramique alvéolée, bain sur pattes, porte-savon encastré) et sa fournaise centrale au gaz (une rareté, par ailleurs très peu pratique). Stéphane et Josée avaient mandaté un entrepreneur sans scrupule, qui avait démoli le bâtiment et érigé, à la place, une boîte de briques beiges flanquée d'escaliers en PVC blanc et de fenêtres en PVC grises. Le résultat était navrant, mais d'équerre. Les anciennes pièces doubles avaient été remplacées par des chambres alignées, de dimension raisonnable. Un module préfabriqué avait pris la place des vieilles armoires de cuisine, ce qui permettrait à l'indispensable aire ouverte d'opérer sa magie sur des acheteurs potentiels. «Rapprochements! Complicité! Verres de vin au coin du feu!» Les salons ne comportaient pas de foyer, ça aurait coûté trop cher, et la Ville aurait fait des chichis. Mais peu importait de faire du feu, leur avait assuré l'entrepreneur, il suffisait de ressentir son effet. En cela, il avait vu juste. Les deux autres unités s'étaient vendues en quelques semaines seulement.

Au bout d'un an dans leur immeuble rénové, Stéphane et Josée s'étaient séparés. Quoi, de l'usure du désir ou des tuiles texturées de la salle de bain les avait ruinés, je ne l'ai pas su. Quand ils m'ont fait visiter l'appartement, rien ne se dévoilait. Ils rigolaient en évoquant la journée catastrophique où l'ouvrier avait percé un trou dans un mur, traversant du même coup le nouveau renvoi d'eau posé la semaine précédente, et se tapotaient doucement l'épaule lorsque l'un rectifiait la justesse d'une anecdote ou d'un souvenir. Le matin de la première visite libre, Josée a tenu à faire cuire des biscuits, parce qu'elle avait lu quelque part que cela rendrait l'appartement plus séduisant (ils ont tous lu ça quelque part). Stéphane s'était empiffré avant l'arrivée des premiers visiteurs, laissant une assiette dégarnie sur l'îlot de la cuisine. Josée ne s'était pas énervée. Elle avait rigolé: «Stéphane a la dent sucrée.» Je me souviens avoir pensé, *Mais pourquoi se séparent-ils?*

Le condo s'est vendu en quarante-six jours, ce qui m'a valu les félicitations de mes nouveaux collègues, et une solide réputation à l'orchestre. Josée et Stéphane étaient ravis, et m'ont tous deux demandé de leur trouver de nouveaux appartements, séparément. L'an dernier, l'unité a de nouveau été vendue. Une autre séparation.

En passant devant l'immeuble, ce soir, la main d'Oscar dans la mienne – j'avais prévu envoyer Jim le chercher, imaginé un message envoyé à la hâte entre deux étreintes irradiant ma joie infinie, quelque chose comme, *Je ne peux pas rentrer pour l'instant, peux-tu aller chercher Oscar, te tiens au courant –*, je remarque que les nouveaux propriétaires ont changé les fenêtres. Elles sont noires et oscillobattantes, et les rampes d'escalier ont été remplacées par du fer forgé, noir lui aussi, similaire à celui de la construction d'origine. Ils ont planté des tulipes et du muguet sur le petit carré de terre qui longe l'édifice.

Par la porte entrouverte, je vois qu'ils ont également tout changé dans l'appartement. Il n'y a maintenant qu'une pièce fermée, le reste est ouvert, et on voit jusqu'à la façade arrière, vitrée. Des guirlandes lumineuses zigzaguent au-dessus de la terrasse. Un courant d'air qui traverse l'appartement de bord en bord fait tanguer la jardinière accrochée sur le balcon avant. Le bain sur pattes est depuis longtemps disparu. Mais il paraît que la douche-cascade est superbe, finie en laiton, comme dans les revues.

«Des Français, très amoureux», m'a raconté Julien, le gars du café, qui sait tout.

Table

Remerciements

L'auteure tient à remercier le Conseil des arts du Canada pour son soutien financier, indispensable à la réalisation de ce projet.

Merci à Élisabeth Comtois et Émilie Laforest pour leurs précieuses connaissances en musique, et à Armande Ouellet pour les recherches abitibiennes.

Merci à Samuel Lambert, premier lecteur et premier refuge.

Finalement, mille mercis fiévreux à Geneviève Thibault, lectrice, éditrice et femme d'exception ; si le livre est ne serait-ce qu'un peu bon, ce sera beaucoup grâce à elle.

Fanny Britt

Fanny Britt est auteure et traductrice. Elle a écrit une dizaine de pièces de théâtre, dont Bienveillance, qui a remporté le Prix du Gouverneur général du Canada en 2013. La même année, son plus récent album jeunesse, Jane, le renard et moi, illustré par Isabelle Arsenault et traduit en plusieurs langues, a été classé parmi les 10 meilleurs livres illustrés par le New York Times. Elle a également fait paraître un essai personnel, Les tranchées. Maternité, ambiguïté et féminisme, en fragments, chez Atelier 10. Elle vit à Montréal avec sa famille. Les maisons est son premier roman.

De la même auteure

Les tranchées. Maternité, ambiguïté et féminisme, en fragments, Atelier 10, 2013
Jane, le renard et moi, illustrations d'Isabelle Arsenault, La Pastèque, 2012 (Prix littéraire du Gouverneur général du Canada – illustrations)
Bienveillance, Leméac Éditeur, 2012 (Prix littéraire du Gouverneur général du Canada)
Chaque jour, Dramaturges Éditeurs, 2011
Enquête sur le pire, Dramaturges Éditeurs, 2011
Hôtel Pacifique, Dramaturges Éditeurs, 2009

Le Cheval
d'août

BIENVENU, Sophie
Chercher Sam, 2014 (première édition)

NICOL, Mikella
Les filles bleues de l'été, 2014

RAYMOND BOCK, Maxime
Des lames de pierre, 2015

BIENVENU, Sophie
Chercher Sam, 2015 (réédition)

LAROCHELLE, Corinne
Le parfum de Janis, 2015

Fanny Britt
Les maisons

Le sixième titre publié
au Cheval d'août, sous la direction
littéraire de Geneviève Thibault.

Conception graphique
L'identité et la maquette du
Cheval d'août ont été créées par
Daniel Canty, en collaboration avec
Xavier-Coulombe Murray et l'Atelier
Mille Mille.

Mise en page
Jolin Masson

Design de la couverture
Audrey Wells

Photographie en couverture
Hugo Dufour-Bouchard

Révision linguistique
Françoise Major-Cardinal

Correction d'épreuves
Rosalie Lavoie

Citation-cheval par Paul Éluard

Le Cheval d'août
5639, rue Saint-Urbain
Montréal (Québec) H2T 2X2
lechevaldaout.com

Dépôt légal, 2015
Bibliothèque et Archives nationales
du Québec
Bibliothèque et Archives Canada

ISBN 978-2-924491-11-9

Distribution au Canada
Diffusion Dimedia

Distribution en Europe
Librairie du Québec à Paris

Les maisons a été mis en page
en Domain Text, un caractère
dessiné par Klim en 2012, et en
Post Grotesk, un caractère dessiné
par Josh Finklea en 2011.

Ce troisième tirage de Les maisons
a été achevé d'imprimer à Gatineau
sur les presses de l'imprimerie
Gauvin pour le compte du Cheval
d'août au mois de janvier 2016.

© Fanny Britt
et Le Cheval d'août, 2015

Et, fidèle aux cailloux,
Cheval seul attend la nuit
Pour n'être pas obligé
De voir clair et de se sauver